Pedro González Calero

Filosofía para bufones

Un paseo por la historia del pensamiento
a través de las anécdotas de los grandes filósofos

Ilustraciones de Anthony Garner

Ariel CLAVES

1.ª edición: junio de 2007

© 2007: Pedro González Calero

© Ilustraciones: Anthony Garner

Derechos exclusivos de edición en español:
© 2007: Editorial Ariel, S. A.
Avda. Diagonal, 662-664 - 08034 Barcelona

ISBN 978-84-344-5330-2

Depósito legal: B. 29.892 - 2007

Impreso en España por
Litografía Rosés, S.A.
Energía, 11-27
08850 Gavà (Barcelona)

A Faemino y Cansado,
por ser tan sabios
siendo tan payasos.

Prólogo

Cuenta la leyenda que Crisipo, uno de los filósofos más importantes del estoicismo antiguo, apasionado de la lógica, pero también del humor, murió de un ataque de risa al ver a un asno comerse unos higos, echar unos tragos de vino y, tras ello, tambalearse como un borracho.

En honor a Crisipo y a otros filósofos bienhumorados, este libro trata de rescatar las muestras de humor que nos ha dejado la historia de la filosofía, pero también las bromas de que han sido objeto los filósofos y sus ideas (tal vez burlarse de la filosofía también sea, como dijo Pascal, hacer filosofía).

Muchas de estas bromas y anécdotas fueron reales, pero otras han sido inventadas en algún momento de nuestra tradición cultural y desde entonces es difícil separarlas de la imagen que proyectan los filósofos a los que fueron atribuidas. De todos modos, el autor de este libro no inventa nada (si es que ello es posible) y su aportación se limita a proporcionar, cuando lo cree oportuno, un contexto filosófico a las bromas seleccionadas, permitiéndose, de vez en cuando, alguna que otra licencia en la forma de exponerlas. De la bibliografía utilizada queda constancia en las páginas finales.

Aunque no creo que se pueda decir que ésta sea una obra seria de filosofía, como la que Wittgenstein creía que podía escribirse a base de chistes, lo cierto es que, entre burlas y bromas, este libro ofrece un pequeño repaso a la historia de la filosofía, mostrando en ocasiones la cara cómica de algunas controversias filosóficas, de manera que el libro bien podría haberse titulado *Breve historia bufa de la filosofía*.

Y eso que, ciertamente, la filosofía no es una disciplina pródiga en humor. A no ser que uno piense, como Bertrand Russell, que «todo acto de inteligencia es un acto de humor». Pero, aunque en filosofía no abunden los Chaplin, los Keaton, los Popoff, ni los Charlie Rivel, tampoco han faltado en su carpa notables familias de humoristas. En la Antigüedad destacaron sobre todo los cínicos y los cirenaicos. Los más famosos fueron Antístenes, Diógenes de Sínope y Crates entre los cínicos, y Aristipo entre los cirenaicos. Todos ellos discípulos traviesos de Sócrates, siendo Diógenes tal vez el más travieso de todos. No en vano, Platón dijo de él que era un «Sócrates enloquecido». Por cierto que, gracias a otro Diógenes, Diógenes Laercio, nos han llegado muchas de las simpáticas anécdotas que la tradición ha atribuido a éstos y a otros filósofos de la Grecia antigua.

Después de ellos, los más dotados para el humor fueron Voltaire en el siglo XVIII, Friedrich Nietzsche en el XIX y Bertrand Russell en el siglo XX. Precisamente uno de ellos, Nietzsche, fue quien escribió que el hombre es el animal que sufre tan intensamente que ha tenido que inventar la risa. Por lo demás, al autor de *Así habló Zaratustra* le encantaban las bromas: «Yo me cuento a mí mismo tantos chistes idiotas —dijo—, se me ocurren tantas payasadas, que a veces me pongo a reír socarronamente durante media hora en plena calle». Recordemos que en sus últimos días de lucidez se le ocurrían bromas como convocar un congreso ficticio de casas reales europeas, con «una proclama para aniquilar a la casa Hohenzollern, esa raza de criminales e idiotas escarlata».

Seguramente Nietzsche se hubiera podido reír un buen rato con muchas de las bromas que se cuentan en este libro, algunas de las cuales, las referidas a la filosofía antigua, él ya conocía. ¿Y tú, lector, estás dispuesto a reírte con los extravagantes aciertos y los disparates lógicos de estos locos filósofos?

FILOSOFÍA ANTIGUA

Del mito al logos

Según Aristóteles, la filosofía surge de la admiración que los hombres sienten ante el mundo. Es el asombro que experimentamos ante el espectáculo enigmático que despliega el universo lo que nos mueve a filosofar. Pero, como el propio Aristóteles se encargó de indicar, ése es el mismo fondo del que surgen los mitos, y también ellos, al igual que la filosofía, pretenden proporcionar una interpretación coherente de la realidad que otorgue un sentido al mundo.

Sin embargo, mientras que los mitos no pueden dar una explicación de aquello que cuentan, ni pueden dar razón de sí mismos, la filosofía sí está en condiciones (o al menos aspira a estarlo) de justificar racionalmente sus afirmaciones.

Con el tiempo, los mitos fueron sustituidos por otras formas de interpretar la realidad y, aunque al principio convivieron con la filosofía, después fueron desapareciendo hasta ser finalmente arrinconados en nuestras sociedades por el conocimiento de orden científico. De manera que el mito, que originariamente significaba en griego «palabra verdadera», ha acabado siendo sinónimo de algo así como relato inventado o cuento. Como vio Max Weber, el proceso de desencantamiento del mundo es consustancial al desarrollo de las sociedades modernas.

En el siglo XX, Kostas Axelos (un filósofo que intentó conciliar el marxismo con la filosofía de Heidegger) quiso imaginar la paradójica escena en la que los propios personajes de un mito (el de los centauros, quienes según la mitología griega tenían cabeza y tronco de humano, pero extremidades inferiores de caballo) asumen esa experiencia de desencantamiento:

«Dos centauros (padre y madre) observan a su hijo pequeño mientras juguetea en una playa mediterránea. Entonces, el padre se vuelve hacia la madre y le pregunta:

—Y ahora, ¿quién le dice que sólo es un mito?».

LAS DOS GEMELAS

Tales de Mileto, quien pasa por ser el primer filósofo de la historia, y a quien se atribuye haber dicho que todo procede del agua y que ése es el elemento común a todas las cosas, sostenía también que no había verdadera diferencia entre la vida y la muerte. A propósito de esto, alguien le preguntó una vez:

—Y si no hay diferencia, ¿por qué no te mueres?

—Por eso —contestó Tales—, porque no hay diferencia.

SIN PROGENIE, POR COMPASIÓN

—¿Cómo es que no tienes hijos? —le preguntaron a Tales en otra ocasión. Y él contestó:

—Por compasión hacia los niños.

Desde el principio, los filósofos tuvieron fama de despistados, tal como sugiere una de las anécdotas más famosas de la historia de la filosofía. Según cuenta Platón en el *Teeteto*, andaba Tales en cierta ocasión observando los astros cuando fue a caer en un pozo. Una graciosa criada tracia que presenció la escena se burló de él diciéndole:

—¿Qué quieres ver en el cielo si no eres capaz de ver el suelo que pisas?

La transmigración de las almas

Si hemos de hacer caso de las leyendas, la vida de Pitágoras debió de ser de lo más apasionante. Viajó a Egipto y Babilonia (donde fue discípulo de Zoroastro) y finalmente se estableció en Crotona, en el sur de Italia. Allí fundó una secta, la de los pitagóricos, que le rendía culto como hijo de Apolo. La secta cultivaba el estudio de las matemáticas y se regía por la práctica rigurosa de ciertas reglas, entre las que figuraban algunas más bien extravagantes, como la de no comer habas, la de no orinar de cara al sol o la de no dejar en la cama la huella del cuerpo al levantarse.

Tuvo fama de adivino y de utilizar para sus predicciones el poder de los números, pues, según él, los números son el principio de donde surgen todas las cosas.

Él y sus seguidores, los pitagóricos, defendían la teoría de la transmigración de las almas, según la cual, cuando nuestro cuerpo muere, el alma se encarna en otro cuerpo (que puede ser de un animal o de un vegetal). Sólo cuando el alma ha conseguido purificarse cesa la cadena de transmigraciones y puede volver a morar en el mundo celeste.

Pues bien, un antiguo chiste que cuenta Leonardo da

Vinci en sus *Cuadernos de notas* tiene como protagonista a un pitagórico:

«Dos hombres discutían entre sí. El primero quería probar, basándose en la autoridad de Pitágoras, que había estado en el mundo en una ocasión anterior. El segundo no le dejaba terminar su argumentación. Entonces el primero dijo al segundo:

—La prueba de que yo viví otra vida antes de ésta es que recuerdo que en ella tú eras un molinero.

El otro, molesto por estas palabras, asintió y dijo:

—Sí, llevas razón, porque ahora yo también recuerdo que tú eras el burro que me llevaba la harina para moler».

EL RÍO DE HERÁCLITO

Heráclito de Éfeso fue, junto con Parménides, el más importante de los filósofos presocráticos. Ha pasado a la historia de la filosofía como el filósofo del devenir y de manera simplificadora suele recordársele por aquella famosa sentencia que dice: «Nadie se baña dos veces en el mismo río». Este aforismo, que ha sido glosado innumerables veces, también ha sido objeto de alguna que otra broma, como aquella que hacía el poeta Ángel González en una de sus *Glosas a Heráclito*:

Nadie se baña dos veces en el mismo río.
Excepto los muy pobres.

HERÁCLITO EL OSCURO

Heráclito fue conocido ya en la Antigüedad como «Heráclito el oscuro» porque sus razonamientos eran especialmente difíciles de entender. Escribió un libro de aforismos que depositó en el Templo de Ártemis y del que sólo nos han llegado algunos fragmentos. Tan difícil es desentrañar el sentido de sus textos que Sócrates llegó a decir, tras su lectura, que los textos que había entendido le parecían muy profundos, pero que todavía debían de serlo más los que no había conseguido entender. Tanta profundidad, bromeó Sócrates, sólo debía de estar al alcance de los nadadores delios (quienes eran expertos en nadar en aguas profundas).

UNA EXTRAÑA MALDICIÓN

Heráclito siempre tuvo fama de triste (se ha convertido ya en un lugar común contraponerlo a Demócrito, el filósofo risueño). A menudo se lamentaba del comportamiento de sus congéneres y llegó a despreciar a sus conciudadanos, quienes habían expulsado de su ciudad, Éfeso, a Hermodoro, a quien Heráclito tenía en gran estima. A los efesios les dedicó Heráclito el siguiente dicterio: «¡Ojalá os hagáis ricos, efesios, para que quede más patente vuestra maldad!».

UNA CONDENA IRREMEDIABLE

Anaxágoras de Clazomene fue uno de los primeros filósofos en suponer la existencia de un espíritu racional (el Nous) responsable de haber ordenado el universo a partir del caos originario. Por eso, Aristóteles le otorgaba un rango especial entre los filósofos presocráticos, llegando a decir que parecía un hombre sobrio en medio de borrachos.

Anaxágoras fundó en Atenas una escuela de filosofía que permaneció abierta durante treinta años. Fue maestro de Eurípides, Arquelao, Pericles y, posiblemente, también de

Sócrates. Pero un día fue acusado de impiedad y condenado por los tribunales atenienses. Anaxágoras huyó entonces a Lampsaco, donde fundó otra escuela de filosofía. Como alguien se lamentara ante él de que los atenienses lo hubieran condenado a muerte, Anaxágoras replicó:

—También a ellos, la Naturaleza los tiene sentenciados a la misma condena.

LA MUERTE DE LOS HIJOS

A Anaxágoras (entre otros) se le atribuye haber dicho, tras ser informado de la muerte de sus hijos:

—Ya sabía cuando los engendré que eran mortales.

CUANDO LA DISTANCIA NO IMPORTA

Como Anaxágoras se hallaba lejos de su patria cuando se estaba muriendo, alguien le preguntó si no prefería ser enterrado en su ciudad natal. Pero Anaxágoras respondió:

—Que yo sepa, el viaje a la región de los muertos es igual de largo desde todos los lugares.

LA TORTUGA DE ZENÓN

Zenón de Elea, discípulo de Parménides, ha pasado a la historia de la filosofía como el iniciador de la dialéctica, entendida como el arte de la discusión y el triunfo sobre las tesis del adversario. Zenón debía de estar ya un poco harto de que tantos filósofos tomaran por absurdas las tesis de su maestro, quien había defendido que el ser es uno, y no múltiple, y que permanecía eternamente inmóvil.

—¿Decís que es ridículo afirmar la inmovilidad del ser? —debió de preguntar con ironía Zenón—. Bien, pues admitamos la tesis del movimiento, a ver qué pasa: imaginemos una carrera entre Aquiles, «el de los pies ligeros», y uno de los animales más lentos que conocemos: la tortuga. Y supongamos que Aquiles le concede una ventaja inicial a la tortuga. Pues bien, Aquiles no podrá nunca alcanzar a la tortuga, pues mientras Aquiles recorra la distancia que le ha dejado de ventaja a la tortuga, ella recorrerá un nuevo trecho, y mientras Aquiles recorre ese nuevo trecho la tortuga recorrerá otro nuevo, y así sucesivamente. Por eso, Aquiles nunca alcanzará a la tortuga.

Pero una de las veces en que Zenón acababa de exponer su famosa paradoja, Antístenes (aunque esta anécdota unas veces se le atribuye a él y otras a Diógenes) se puso a andar de aquí para allá, hasta que Zenón le dijo:

—¿Quieres hacer el favor de dejar de moverte?

—¡A ver en qué quedamos! ¿No dices que no existe el movimiento? —le asaetó Antístenes.

UNA TORTUGA TENAZ

A la anterior anécdota remite la famosa sentencia según la cual el movimiento se demuestra andando. Claro que Zenón y sus seguidores no decían que fuera imposible mostrar el movimiento, sino más bien que era imposible demostrar racionalmente su existencia.

El argumento de Zenón parte de la hipótesis de que el espacio sea infinitamente divisible e intenta reducir esa misma hipótesis al absurdo. Muchas son las soluciones que se han propuesto a esta paradoja. Aristóteles, Descartes, Leibniz, Hobbes, Mill, Cantor, Bergson y Russell, entre otros, intentaron resolver las aporías de Zenón, pero ninguna de sus soluciones parece plenamente satisfactoria.

Agustín García Calvo en sus *Lecturas presocráticas* escribe que el razonamiento de Zenón no sería sino una manera de formular «la contradicción insuperable entre dos necesidades que ambas necesariamente padecemos, la de contar, en cuanto a ser, con una oposición privativa, sin transiciones, entre lo que es una cosa y lo que no es, y la de contar, en cuanto a haber, con una continuidad, esto es, una gradación innumerable (o interminablemente innumerable) de la cuantía».

Suele decirse que la moderna teoría matemática desarma definitivamente los argumentos de Zenón, gracias al uso de los cálculos basados en el concepto de paso al límite. El problema, señala Agustín García Calvo, es que esos cálculos fueron inventados precisamente para resolver las aporías de Zenón.

De manera que, veinticinco siglos después de su nacimiento, la tortuga de Zenón sigue vivita y coleando. Hace unos años, Rafael Sánchez Ferlosio le dedicaba esta simpática seguidilla:

Caminito de Elea
va una tortuga,
con veinticinco siglos
en sus arrugas.

Zenón me llamo;
si veis venir a Aquiles,
que apriete el paso.

DE NIÑA A MUJER

Demócrito de Abdera fue uno de los pocos filósofos que defendió en la Antigüedad una teoría atomista. Según él, el universo está compuesto de infinitas partículas indivisibles, los átomos, moviéndose en el vacío. Una teoría que, arrinconada durante muchos siglos por filósofos y científicos, cobró auge en el ámbito científico a partir del siglo XVIII. Demócrito tenía fama de risueño y adivino. Lo de risueño parece que le venía por su afición a reírse de las necedades humanas y lo de adivino pudo deberse más que nada a sus dotes de observación y a alguna que otra casualidad. Así cabe explicar aquel suceso que protagonizó con una muchacha que había acompañado a Hipócrates en su visita a Demócrito. Habiéndola saludado éste el primer día diciéndole: «Buenos días, muchacha», la recibió al día siguiente con otra fórmula: «Buenos días, mujer». Al notar este cambio en el saludo, la joven no pudo ocultar su turbación, pues Demócrito parecía haber adivinado que aquella misma noche la muchacha había perdido su virginidad.

LA BALANZA DE LA JUSTICIA

En el siglo V a.C. aparecen los sofistas. Los dos más famosos fueron Gorgias y Protágoras. Los sofistas eran escépticos con respecto a la posibilidad de averiguar verdades absolutas y más bien creían que había razones para defender tanto una tesis como su contraria. Una misma tesis podía resultar verdadera o falsa según se afirmara en un contexto o en otro. De ahí que estuvieran particularmente interesados en cuestiones de retórica. Además, defendían también una especie de relativismo moral según el cual no hay un bien ni un mal absolutos, sino que lo que es bueno para unos puede resultar malo para otros. Y lo mismo puede decirse con respecto a la justicia: lo que es justo en Atenas puede ser injusto en Esparta, y viceversa.

Una concepción relativista de la justicia y por tanto parecida a la de los sofistas (aunque no idéntica) aparece en un antiguo relato árabe, traspasado luego a otras culturas, que dice así:

Dos amigos en litigio fueron a ver al cadí para que impartiera justicia.

Uno de ellos expuso el caso de esta manera:

—Mi amigo me ha traicionado. Entró en mi casa cuando yo no estaba, robó mi asno y mi dinero, y violó a mi mujer. Pido un castigo justo para él.

El cadí le dijo:

—Tienes razón.

El otro hombre entonces se defendió con estas palabras:

—Nada de eso es cierto: yo no robé aquel asno, sino que me lo llevé porque yo se lo había prestado primero y él no me lo quería devolver. También me debía aquel dinero. En cuanto a su mujer, es cierto que hicimos el amor, pero fue ella la que se echó encima de mí, porque anda escasa de amor ya que su marido no le hace caso. Cuando él ha llegado a casa nos ha sorprendido haciendo el amor y la ha emprendido a golpes conmigo. Es a mí a quien tienes que hacer justicia.

—Tienes razón —asintió el cadí.

—Pero, señor, no puede ser que los dos tengan razón —intervino el ayudante del cadí.

Y el cadí le dijo:

—Es cierto. También tú tienes razón.

LA PARADOJA DE PROTÁGORAS

Los sofistas eran buenos conocedores de las leyes de las distintas sociedades. Quien quiera promocionarse y tener éxito en las disputas públicas deberá conocer bien las reglas de la retórica y de la jurisprudencia. Los sofistas siempre salían victoriosos de sus contiendas verbales porque eran maestros en ambas cuestiones.

Por cierto que los sofistas vendían caras sus lecciones de retórica y leyes. A propósito de esto se cuenta la siguiente anécdota de Protágoras: sus clases eran tan caras que los únicos que podían pagarlas eran los hijos de los ricos, pero en cierta ocasión Protágoras aceptó como alumno a un tal Evatlo, un estudiante pobre, con la condición de que le pagaría la mitad del dinero a la entrada y la otra mitad cuando acabase sus estudios y ganara su primer pleito como jurista. Pero al terminar sus estudios Evatlo no aceptaba ningún trabajo que tuviera que ver con la judicatura. Así conseguía burlar lo pactado con Protágoras: había recibido sus clases y no se veía en la obligación de pagarlas. Entonces Protágoras demandó a Evatlo, que intentó desarmarlo con la siguiente argumentación:

—Si ganas el pleito, yo seguiré sin haber ganado un caso y, por tanto, basándome en los términos de nuestro acuerdo, no tendré que pagarte; pero si el pleito lo gano yo, entonces, por mandato judicial, tampoco tendré que pagarte.

A lo que Protágoras replicó:

—Nada de eso. Si yo gano el pleito, tendrás que pagarme por mandato judicial; pero si el litigio lo ganas tú, ya habrás ganado tu primer caso y entonces, apelando a los términos de nuestro acuerdo, tendrás igualmente que pagarme.

La ironía socrática

Contemporáneo de los sofistas fue Sócrates, quien al igual que ellos estaba convencido de que la virtud se puede aprender. Pero, a diferencia de los sofistas, él no cobraba por sus lecciones y además pensaba que la virtud tenía que ser idéntica para todos los humanos. Sólo que no creía que esa virtud se pudiera enseñar tal y como los maestros enseñan sus lecciones, sino que su aprendizaje debía ser consecuencia de un proceso de diálogo, en el que la misión del maestro consistiera fundamentalmente en preguntar, en no conformarse con las respuestas fáciles, en aguijonear las conciencias y los supuestos saberes de sus conciudadanos. En esto consistía básicamente la llamada «ironía» socrática, en el arte de interrogar de manera que el interrogado acabe descubriendo que aquello que daba por cierto no estaba tan claro como él suponía. Así, por ejemplo, si Sócrates se encontraba por las calles de Atenas con un general le preguntaba sobre el valor, y el general, que al principio creía tener muy claro en qué consistía el valor, acababa reconociendo su propia ignorancia sobre el asunto.

Esta afición de Sócrates a la ironía hizo que algunos creyeran que sus palabras debían ser interpretadas en el sentido inverso al corriente para ser correctamente entendidas, y que alguien comparase los discursos de Sócrates con los lienzos del pintor Pausón porque, cuando un cliente le pidió a éste el retrato de un caballo rodando por tierra, Pausón se limitó a pintar un caballo corriendo, y le dijo al cliente que si quería ver al caballo patas arriba no tenía más que darle la vuelta al lienzo.

LA SABIA IGNORANCIA

Un oráculo era para los griegos el santuario donde se practicaba la adivinación. Pero los griegos también llamaban oráculo a la respuesta que daba el dios cuando era preguntado por algún visitante del santuario.

De todos los oráculos griegos, el de Delfos fue el que más prestigio llegó a alcanzar. A él acudían quienes querían

Sócrates (470-399 a.C.)

pedir consejo a los dioses o conocer algún dato del futuro. Cuando Querefonte, amigo personal de Sócrates, preguntó al oráculo de Delfos quién era el hombre más sabio, la pitonisa respondió que Sócrates.

Al ser informado Sócrates de las palabras del oráculo, comentó la sentencia diciendo que su sabiduría consistía en reconocer que nada sabía, mientras que sus conciudadanos creían saber lo que en realidad no sabían.

No me atruenes, que luego llueves

Sócrates gozó siempre de la admiración y el respeto de sus discípulos, algunos, como Platón, Aristipo y Antístenes, creadores ellos mismos de sendas escuelas filosóficas.

Menos respeto, sin embargo, parece que le tenía su esposa, Jantipa, mujer de áspero carácter y muy irritable. Sócrates decía que la había tomado por esposa precisamente por eso, pues, conociendo su carácter, se había habituado a tolerarla pacientemente con la idea de llegar a la perfección en el dominio de sí mismo y saber tratar con cualquier persona de difícil carácter (Nietzsche dirá, en el siglo XIX, con su acostumbrada malicia, que fue Jantipa quien convirtió a Sócrates en el mayor dialéctico de Atenas, pues al hacer irrespirable el ambiente del hogar, lo indujo a andar todo el tiempo dialogando por las calles de la ciudad).

Un día, cansado de la bronca interminable que le dedicaba Jantipa, para no oírla más salió de su casa y se sentó en un escalón de la puerta, pero Jantipa, irritada por no haber podido desahogarse con su marido, se vengó vaciando sobre su cabeza una palangana de agua sucia. Sócrates se limitó a comentar resignadamente:

—Después de tanto tronar no es extraño que ahora llueva.

Ni casado ni soltero

Cuando un alfarero consultó a Sócrates sobre qué hacer, si casarse o permanecer soltero, Sócrates le aconsejó:
—Hagas lo que hagas, te arrepentirás.

Los mercados llenos de cosas vacías

Paseando por los mercados atiborrados de mercancías, Sócrates solía decir:
—¡Hay que ver la cantidad de cosas... que no necesito!

La cena de los pobres

Una noche en que Sócrates y Jantipa tenían más invitados a cenar que comida para ofrecer, Jantipa se lamentaba ante su marido:
—¡Qué vergüenza! ¿Qué van a pensar de nosotros?
Sócrates intentó tranquilizarla diciéndole:
—No te preocupes, mujer. Si nuestros invitados son frugales tendrán suficiente comida y si son tragones nada bastará para saciarles.

Murmurar por ignorancia

Alguien advirtió una vez a Sócrates de que un vecino suyo iba hablando mal de él por ahí. Y Sócrates se limitó a comentar:
—No me extraña que hable mal de mí porque nunca aprendió a hablar bien.

LA MUERTE DE SÓCRATES

Sócrates fue condenado a muerte acusado de introducir nuevos dioses en la ciudad y de corromper a los jóvenes, cargos injustos tras los que se ocultaba el odio que le tenían algunos hombres influyentes de Atenas.

Aunque sus discípulos habían preparado un plan para su fuga, sobornando a los carceleros, Sócrates se negó a huir, aduciendo que debía respetar las leyes de su ciudad. El día previsto para su muerte, todos sus familiares y amigos estaban desconsolados, y el propio condenado a muerte tuvo que ser el que se encargara de darles ánimos. Pero tampoco en aquel difícil trance perdió Sócrates la oportunidad de ironizar: como Jantipa, su mujer, lloraba y no paraba de lamentar que lo fueran a matar injustamente, Sócrates le preguntó:

—¿Es que acaso preferirías que me mataran con justicia?

LA PRÁCTICA DE LOS MANDAMIENTOS

La doctrina moral de Sócrates se conoce con el nombre de intelectualismo moral. Según esta teoría, basta con saber lo que es el bien para realizarlo y basta con saber lo que es el mal para no hacerlo. Por tanto, si los hombres hacemos el mal es por ignorancia, porque en el fondo no sabemos lo que hacemos.

Claro que no hemos de confundir las creencias y pensamientos de un individuo con las declaraciones que ese individuo realiza sobre sus pensamientos y creencias, pues una cosa es lo que uno dice creer y pensar, y otra es lo que realmente piensa y cree. Quien dice desear lo mejor para el prójimo, pero en sus obras da muestras de lo contrario, es porque no lo desea de verdad.

De ahí que, al considerar el abismo que separa el ámbito de nuestras creencias del ámbito de su puesta en práctica, tal vez haya que concluir que el abismo verdadero es el que existe entre lo que decimos que creemos y lo que creemos realmente.

En fin, sea como fuere, el caso es que las ideas sobre moral de poco sirven si no tienen consecuencias prácticas sobre nuestras acciones. Se comprende así la reacción de Mark Twain cuando un industrial, haciendo gala de sus elevados ideales, le confesó que tenía la firme convicción de peregrinar a Tierra Santa y subir al monte Sinaí para leer en voz alta los diez mandamientos. Al parecer, Twain le replicó:

—Y, en vez de eso, ¿por qué no se queda aquí y los pone en práctica?

LA TEORÍA DE LA PARTICIPACIÓN Y LOS HIGOS

Según cierta leyenda, una noche Sócrates vio en sueños una cría de cisne que echaba a volar emitiendo un hermoso canto. A la mañana siguiente, cuando le presentaron a Platón, Sócrates dijo: «He ahí el cisne de mi sueño». No en vano, Platón (cuyo verdadero nombre era Aristocles, siendo «Platón» un apodo que le colocaron por ser ancho de espaldas o por ser de ancha frente) fue el más importante de los discípulos de Sócrates.

Su contribución a la filosofía resultó trascendental hasta tal punto que marcó el derrotero de muchas de las posteriores controversias filosóficas. Especialmente polémica resulta su teoría de las Ideas. Según ésta, las Ideas son entidades existentes fuera de nuestra mente y que no podemos captar mediante nuestros sentidos. Si sólo existiera la realidad que nos presentan los sentidos, no habría nada permanente, pues la realidad sensible está constantemente cambiando y, por tanto, nuestro conocimiento tampoco sería fiable, pues sería un conocimiento inestable. Por eso, Platón postulaba la existencia de las Ideas como entidades inmateriales y eternas. Y su conocimiento como el único conocimiento riguroso.

Diógenes de Sínope (el que ha sido considerado filósofo cínico por excelencia y del que hablaremos más adelante) se burlaba de esto argumentando que él sólo veía mesas y copas, pero no Ideas de mesas o copas, a lo que Platón replicaba:

—No es de extrañar, Diógenes, pues tu mente es demasiado tosca para ver otra cosa.

Por otra parte, según la teoría de Platón, las cosas que percibimos mediante los sentidos son copias, imitaciones que participan en alguna medida del mundo de las Ideas, pero que no deben confundirse nunca con ellas. Así, un cuerpo hermoso participa de la Idea de Belleza, pero no es la Idea de Belleza, la hoguera participa de la Idea de Fuego, pero no es la Idea de Fuego, etc. Diógenes, que se burlaba también de esto, se puso una vez a comer higos secos delante de él y le dijo:

—Platón, puedes participar de ellos.

Platón tomó algunos higos y empezó a comerlos, pero Diógenes se mofó de él diciéndole:

—Te dije que participaras, Platón, no que te los comieras.

Orgullo contra orgullo

Como cualquiera se puede imaginar después de lo dicho, Platón no tenía un trato precisamente cordial con Diógenes. A más de uno reprendió por reírle las gracias a éste. A Diógenes, por su parte, le encantaba provocar a Platón

Platón (428-347 a.C.)

31

(en realidad le gustaba provocar a quien fuera). Un día de lluvia aprovechó que el suelo estaba embarrado para entrar en casa de Platón y pisotearle las alfombras mientras decía:

—Así pisoteo yo el orgullo de Platón.

A lo que Platón replicó:

—Sí, pisoteas mi orgullo con el tuyo.

EL SABOR DE LAS RAZONES

Platón daba una gran importancia a la política. Como él mismo escribió en su *Carta séptima,* estaba convencido de que los males del género humano sólo se acabarían cuando los filósofos se hicieran cargo del gobierno o cuando los gobernantes se hicieran filósofos. Movido por estas inquietudes políticas, viajó tres veces a Sicilia, pero las tres salió mal parado. A la vuelta del primero de estos viajes, Platón fue secuestrado y puesto a la venta como esclavo en la isla de Egina (aunque afortunadamente fue comprado y puesto en libertad por alguien que lo conocía). Durante esta primera estancia en Sicilia, Platón se entrevistó con el tirano Dionisio I de Siracusa (quien, según parece, fue el instigador del secuestro de Platón), pero no hubo mucho entendimiento entre ambos, pues, aunque Platón se mostraba partidario de un gobierno autoritario, criticó a todos aquellos regímenes dictatoriales en los que los gobernantes sólo piensan en su propio interés y no se atienen a la virtud. Dionisio, molesto por estas palabras, le dijo:

—Tus razones saben a chochez.

Y Platón replicó:

—Y las tuyas a tiranía.

Los gatos cirenaicos

Al filósofo griego Aristipo se le considera el fundador de la escuela cirenaica, cuyo ideal de vida estaba basado en el gozo corporal, limitado siempre al instante presente, pues el cuerpo no puede gozar del pasado ni del futuro.

Si los cínicos son los perros por antonomasia, los cirenaicos en general, y Aristipo en particular, han sido comparados con los gatos. Al igual que a ellos, les gustaba merodear por las mansiones y vivían de las dádivas de sus amos, sin renunciar a su independencia. Y si tenían que soltar un bufido o un arañazo lo soltaban.

Se postraban ante el poderoso sin perder la dignidad y despreciaban el servilismo. A ellos se les podría aplicar aquel aforismo de Stanislaw Jerzy Lec que dice: «Había un sabio que siempre se inclinaba ante el monarca de manera que al mismo tiempo conseguía enseñarles el culo a los lacayos».

La ignorancia de los ricos

Aristipo solía frecuentar la residencia del tirano Dionisio, a quien no dudaba en pedir favores de vez en cuando. Un día, Dionisio le preguntó por qué los filósofos suelen prodigarse en sus visitas a los ricos mientras que los ricos no frecuentan las casas de los filósofos, a lo que Aristipo respondió:

—Porque los filósofos saben lo que les falta, pero los ricos no lo saben.

A cada cual según sus necesidades

Dionisio gustaba rodearse de filósofos, a los cuales obsequiaba luego con algún regalo que otro. En cierta ocasión,

Aristipo aceptó de él una suma de dinero mientras que Platón se conformó con un libro. Como alguien se lo recriminó, Aristipo se limitó a comentar:

—Yo necesito dinero, Platón necesita libros.

QUIEN QUIERA PESCAR HA DE MOJARSE

Una vez Aristipo recibió sin rechistar un escupitajo de Dionisio. Alguien que andaba por allí y vio lo ocurrido le preguntó:

—¿Pero cómo puedes aguantar que te escupan sin inmutarte?

A lo que Aristipo replicó:

—¿Acaso no aguantan los pescadores que el mar los empape para coger un pescado? Pues con más motivo yo, que voy a coger una ballena, me dejo salpicar un poco de saliva.

LOS OÍDOS DEL TIRANO

En otra ocasión, Aristipo intercedía ante Dionisio por un amigo, y al no obtener lo que pedía, se arrojó a sus pies. Como algunos le echaran en cara después tal actitud, Aristipo, sabedor de que los tiranos sólo escuchan a los sumisos, se justificó diciendo:

—¿Y qué queréis que haga si Dionisio tiene los oídos en los pies?

DOS BURRITOS EN CASA

Cuando un mercader acaudalado le pidió a Aristipo que se encargara de la educación de su hijo, éste le exigió a cambio una paga de 500 dracmas, una cantidad que al otro le pareció exagerada.

—Por esa cantidad de dinero podría comprarme un buen burro —le dijo.

Y Aristipo replicó:

—Hazlo y tendrás dos buenos burros en casa.

LA VERGÜENZA DEL PUTAÑERO

Aristipo solía frecuentar la casa de una prostituta llamada Lais. Una de las veces iba acompañado de un joven que, al ir a entrar, sintió vergüenza. Aristipo entonces le dijo:

—No es vergonzoso entrar en su casa; lo vergonzoso sería no saber salir.

LOS PLACERES COMPATIBLES

Cuando alguien le reprochaba sus relaciones con Lais, la cual vendía sus servicios a muchos otros hombres, él replicaba:

—¿Y qué hay de malo? Yo le pago para gozar de ella, no para impedir que otros puedan gozarla.

HAY COSAS QUE ES MEJOR NO OÍR

Una vez alguien lo estaba difamando, cuando Aristipo se dio media vuelta y se alejó para no seguir escuchándolo.

—¿Por qué huyes? —gritó el otro.

—Porque tú tienes poder para decir maldades, pero yo no lo tengo para oírlas —contestó Aristipo.

Pérdidas distintas

Viajaba Aristipo por mar hacia Corinto cuando una borrasca empezó a zarandear el barco, y el filósofo sintió miedo. Otro de los viajeros, viéndolo turbado, le dijo:

—¡Qué cosas tiene la vida! Yo, que soy hombre de pocas luces, no me asusto, y tú, que eres filósofo, estás temblando de miedo.

Y Aristipo replicó:

—Es que, si morimos, no se pierde lo mismo en tu caso que en el mío.

Lapidario

Aristipo dispuso que en la lápida de su sepulcro se grabara la siguiente inscripción:

«Aquí descansa quien os aguarda».

Una exhibición de agujeros

También Antístenes fue discípulo de Sócrates, de quien siempre admiró su categoría moral y su desprecio por los bienes materiales. Para algunos historiadores de la filosofía, Antístenes fue el principal heredero del legado intelectual socrático; para otros, sin embargo, sólo supo imitar los aspectos más superficiales de la filosofía socrática. El propio Sócrates descargó en alguna ocasión, con motivo de ello, el dardo de su ironía contra el exhibicionismo de Antístenes, como aquella vez en que éste exhibía la parte más rasgada de su palio para hacer gala de su austeridad y Sócrates le dijo con socarronería:

—Antístenes, por los agujeros de tu capa se te ve el afán de fama.

ASNOS Y MANDATARIOS

De Antístenes se dice que fue el fundador de la escuela cínica (así llamada porque se reunían en el gimnasio del Cinosargos, que traducido sería: el perro ágil), una corriente filosófica que despreciaba las convenciones sociales y jugaba a ser provocativa. En esta línea, a Antístenes se le ocurrió un día la idea de pedir en la asamblea que se nombrara por decreto caballos a los asnos. Cuando le preguntaron por qué hacía una propuesta tan absurda, respondió con otra pregunta:

—¿Acaso no nombráis vosotros por votación generales a los más ceporros?

LAS ALABANZAS DE LA MAYORÍA

Sabiendo que la mayoría de la gente suele ser ruin y mezquina, Antístenes se quedó de piedra cuando alguien le dijo que había oído a mucha gente hablar bien de él. Entonces sacó su vena irónica y preguntó a su informante:

—¿Y qué mal he hecho yo para que me alaben tantos?

PEOR QUE LOS CUERVOS

Antístenes decía que los aduladores eran peor que los cuervos porque al fin y al cabo éstos devoran cadáveres, pero aquellos devoran a los seres vivos.

LA BILIS DE PLATÓN

Las relaciones entre las diversas escuelas que reivindicaban el pensamiento de Sócrates nunca fueron buenas. Un ejemplo de ello lo encontramos en las tiranteces entre Antístenes y Platón. En cierta ocasión, estando Platón enfermo, Antístenes fue un día a visitarlo y, al ver la palangana en la que Platón acababa de vomitar, le dijo:

—Veo en la palangana tu bilis, Platón, pero aún falta tu vanidad.

CANTAR CON ACOMPAÑAMIENTO

En un convite al que asistía, alguien le dijo:

—¿Por qué no nos cantas algo, Antístenes?

Y él replicó:

—Y tú ¿por qué no me tocas la flauta?

LAS MEMORIAS EN EL ALMA

A uno que se lamentaba de haber perdido las tablillas donde tenía escritas sus memorias, le reprochó lo siguiente:

—Si las hubieras escrito como debías, en el alma, nunca las hubieras perdido.

PAGAR CUANDO LLEGUE EL BARCO

Al igual que hacían los sofistas, es posible que durante algún tiempo Antístenes cobrara sus lecciones. Así lo refleja aquella anécdota a él atribuida que nos habla de un joven de Ponto que, tras demorarse en el pago de sus lecciones, prometió saldar su cuenta con muchos regalos en cuanto llegara su barco de salazones. Ante lo cual, Antístenes lo tomó del brazo y lo llevó a la casa de la vendedora de harinas. Allí llenó un saco que llevaba para la ocasión y cuando la vendedora le reclamó el pago, Antístenes le dijo:

—Te lo pagará este joven en cuanto llegue su barco de salazones.

FUERA DISCÍPULOS

Antístenes no quería discípulos a su lado. Decía que un discípulo era como un grano en el trasero y a veces los alejaba de sí a bastonazos. Cuando le preguntaron por qué hacía eso, respondió:

—Porque yo utilizo los mismos remedios que los médicos para sanar a los enfermos.

LA RESISTENCIA DEL DISCÍPULO

Los bastonazos de Antístenes, sin embargo, no consiguieron apartar a Diógenes de Sínope, empeñado en aprender de aquel maestro tan áspero:

—Pega cuanto quieras —le decía Diógenes—. No conseguirás apartarme de tu lado mientras me quede algo que aprender de ti.

ANALGESIA Y EUTANASIA

Se cuenta que Antístenes, al final de sus días, enfermo y dolorido, se lamentaba en voz alta de su condición, ante su discípulo Diógenes:

—Ay, ¿quién me librará de estos males? —bramaba el viejo Antístenes.

A lo que Diógenes, esgrimiendo un puñal, contestó:

—Éste te librará, maestro.

—De los males, estúpido, no de la vida —le espetó Antístenes.

EL PERRO DE DIÓGENES

Diógenes de Sínope vivía en una tinaja y no tenía otras posesiones que un manto, un zurrón que contenía todas sus pertenencias, un báculo y un cuenco (hasta que se convenció de que podía prescindir de él: un día se acercó a una fuente con el cuenco y vio que un niño estaba bebiendo el agua que recogía en sus manos, lo que le persuadió de que el cuenco era inútil y se desprendió de él).

Lo apodaron «el perro» porque se reunía con los suyos en la plaza del Cinosargos, pero también por su afición a los actos impúdicos y desvergonzados, y él mismo hizo suyo este apodo. La vida del perro se convirtió en un modelo de vida para él.

Pero esta desvergüenza que exhibía Diógenes tenía más que nada un carácter provocativo que pretendía poner en evidencia los valores socialmente dominantes, unos valores que impregnan y orientan nuestras vidas, causando con ello nuestra desdicha, pues reprimen la naturaleza más íntima del hombre y son manifiestamente irracionales.

Ejemplo de esa intención provocativa es el siguiente caso: se cuenta que cuando en un banquete le tiraron unos huesecillos como si de un perro se tratara, Diógenes se fue hacia ellos, pero no para comérselos, sino para orinar encima levantando una pierna, a la manera de un perro. Y en otra ocasión, a unos muchachos que andaban expectantes a su alrededor y le decían: «¡Eh, perro, no queremos que nos muerdas!», les replicó:

—Tranquilos, un perro no come berzas.

Diógenes de Sínope (413-327 a.C.)

BÍPEDO IMPLUME

Se ha dicho que, a menudo, en las anécdotas que nos han llegado sobre Diógenes, Platón desempeña el papel del «augusto» circense, dando pie precisamente a que Diógenes dé rienda suelta a su vena de bufón. Así, por ejemplo, aprovechando la definición que en cierta ocasión dio Platón del hombre: «bípedo implume», Diógenes soltó un gallo desplumado ante el auditorio, diciendo:

—He aquí el hombre de Platón.

LA AUTOSUFICIENCIA DEL HOMBRE LIBRE

Un día se encontraba Diógenes lavando unas hierbas, antes de comerlas, y se le acercó Aristipo (quien, como se recordará, merodeaba por la corte del rey Dionisio para conseguir alguna que otra prebenda), diciéndole:

—¡Ay, Diógenes! Si aprendieras a ser un poco más sumiso y visitaras la corte de Dionisio, no tendrías que lavar hierbas.

A lo que Diógenes replicó:

—Míralo de esta forma: si tú aprendieras a lavar hierbas no tendrías que servir a Dionisio.

LA AMBIGÜEDAD DE LOS ORÁCULOS

Como se sabe, los griegos eran muy aficionados a las artes adivinatorias y solían acudir a los templos para consultar sobre su futuro. Pero la ambigüedad con que respondían los oráculos podía dar pie a todo tipo de interpretaciones, como aquella vez en que Diógenes de Sínope, habiendo sido acusado junto con su padre de falsificar moneda, se defendió en el juicio con la excusa de que no hacía sino obedecer la voz de Apolo, pues, al ir a consultar el oráculo de Delfos, éste le había dicho: «Vuelve a tu casa y da nuevas instituciones a tu tierra». Y Diógenes pensó que no estaría mal empezar por cambiar (o mejor dicho: dar el cambiazo) de moneda.

Pero la excusa no debió de surtir mucho efecto en sus conciudadanos, pues Diógenes fue condenado al exilio. Claro que él se despachó con ellos a su manera, diciendo:

—Ellos me condenan al exilio. Pues yo los condeno a quedarse en su patria.

LOS HAY QUE NO MEJORAN

Unos años después, alguien le reprochó haber falsificado moneda, y Diógenes le dijo:

—Es que antes yo era como tú eres ahora; la diferencia está en que tú nunca serás como yo soy ahora.

A CONTRACORRIENTE

Diógenes solía entrar al teatro cuando la función había terminado, topándose así con la gente que salía. Cuando le preguntaban por qué entraba a contracorriente, él respondía:

—Para que entendáis lo que he tratado de hacer toda mi vida.

LOS MUERTOS NO SUFREN

Cuando le preguntaron si la muerte era un mal, Diógenes, anticipándose al célebre argumento de Epicuro, respondió:

—¿Cómo va a ser un mal si cuando uno se muere ni siente ni padece?

Sol y nada más

Según la leyenda, Alejandro Magno había oído hablar de Diógenes y lo admiraba mucho. Un día se presentó ante él y le dijo:

—Yo soy Alejandro, el gran rey.

—Pues yo soy Diógenes, el gran can.

Como Alejandro le preguntara por qué lo apodaban así, Diógenes respondió:

—Porque halago a los que dan, ladro a los que no dan, y muerdo a los malos.

Parece ser que Alejandro quedó impresionado por Diógenes y le dijo que podía pedirle lo que quisiera, que se lo concedería.

Y Diógenes le pidió:

—Lo que quiero es que te apartes porque me estás tapando el sol.

¿Quién teme a Alejandro Magno?

Cuando Alejandro le dijo que si no lo temía, Diógenes le preguntó:

—Depende, ¿tú eres un bien o un mal?

—Un bien, naturalmente —respondió Alejandro.

Y Diógenes se despachó diciendo:

—¿Y por qué iba a temerte entonces?

EL LUGAR MÁS SUCIO DE LA CASA

Un hombre rico invitó a Diógenes a su lujosa mansión, pero una vez allí le prohibió que escupiera en aquel suelo reluciente. Diógenes se aclaró la garganta y escupió en la cara de su anfitrión.

—¿Por qué has hecho eso? —le preguntó su anfitrión.

—Porque es el único sitio sucio de la casa —le espetó Diógenes.

LA SEGURIDAD AL LADO DE LA DIANA

Un día, presenciaba Diógenes las prácticas de tiro de un arquero que no daba una. Al percatarse de la poca pericia del tirador, Diógenes fue a sentarse junto al blanco.

—Aparta de ahí o saldrás herido —le increpó el arquero.

—Al contrario —replicó Diógenes—, con lo malo que eres disparando es el único lugar donde me encuentro seguro.

EL PELIGRO DEL DARDO EN EL TRASERO

En cierta ocasión, se topó Diógenes con un joven apuesto que dormía despreocupado, con las nalgas en pompa, y lo despertó, parodiando un verso de la Ilíada (aquel que dice «Cuídate de que nadie te clave en tu huida una lanza detrás») con estas palabras:

Levántate, amigo,
no sea que, dormido,
te claven por detrás un dardo
y acabes con el trasero herido.

Un letrero autoexcluyente

Un hombre que era conocido en Atenas por sus maldades grabó en el dintel de su casa una sentencia que decía: «Nada malo entre por aquí». Diógenes, al enterarse, comentó:

—¿Y dónde dormirá ahora el dueño de la casa?

La mejor hora para comer

Le preguntaron un día a Diógenes cuál era la mejor hora para comer, y respondió:

—Si eres rico, cuando quieras; si eres pobre cuando puedas.

Tarde de piedras, día del padre

Viendo que el hijo de una meretriz andaba entretenido en tirarle piedras a la gente, Diógenes le gritó:

—Muchacho, no tires piedras a los desconocidos, no le vayas a dar a tu padre.

Comer en mitad del ágora

Diógenes comía, bebía y hacía sus necesidades donde le placía. Cuando le preguntaban que por qué comía en mitad del ágora, él respondía:

—Porque tenía hambre en mitad del ágora.

LA ROÑA DEL BAÑO

Iba Diógenes a meterse en un baño para adecentarse cuando reparó en lo sucia que estaba la tina, y le preguntó al propietario:

—Los que se bañan aquí, ¿dónde se lavan luego?

EL LADRÓN DE MANTOS

Al reconocer a un ladrón de mantos en los baños públicos, le preguntó:

—¿Tú vienes a desnudarte o a vestirte?

COLGADO DEL NOMBRE

Al enterarse de que un tal Dídimo (traducido: testículo) había sido sorprendido en adulterio, sentenció:

—Dídimo se merece que lo cuelguen por su nombre.

LA CARIDAD DE LAS ESTATUAS

Cierto día, Diógenes pedía dinero a una estatua.

—¿Por qué haces eso? —le preguntó, extrañado, alguien que pasaba por allí.

Y él respondió:

—Para acostumbrarme a los que se quedan como estatuas cuando les pido limosna.

La limosna interesada

Cuando le preguntaron qué razón encontraba él para explicar el hecho de que la mayoría de la gente socorra con una limosna a los pobres, pero no a los filósofos necesitados de ella, Diógenes respondió:

—Es que la mayoría de los hombres creen que alguna vez podrían verse en la situación de los pobres, pero no se imaginan en la de los filósofos.

Un aviso tardío

A uno que le golpeó sin querer con un madero que portaba y que tras ello le dijo: «¡Cuidado!», Diógenes le replicó:

—¿Por qué?, ¿es que vas a golpearme de nuevo?

La venta de Diógenes

Diógenes fue hecho prisionero y puesto a la venta como esclavo. Cuando el pregonero le preguntó qué sabía hacer, él respondió:

—Sé mandar. Mira a ver si alguien quiere comprar un amo.

El color de la virtud

Viendo Diógenes que un joven se ruborizaba, le dijo:
—Enhorabuena, muchacho, ése es el color de la virtud.

La peor mordedura

Le preguntaron qué mordedura de animal hacía más daño, y él respondió:

—De los salvajes, la del calumniador; de los domésticos, la del adulador.

La lámpara de Diógenes

Diógenes pensaba que la verdadera naturaleza humana estaba corrompida por los usos sociales. De ahí que, según se cuenta, caminara un día por las calles de Atenas portando una lámpara encendida y diciendo: «Busco un hombre».

Cuando en otra ocasión clamaba: «¡Hombres, hombres!», y se le acercaron unos cuantos, los apartó con su báculo gritando:

—¡He dicho hombres, no desperdicios!

La tinaja de Diógenes

Como ya dijimos, Diógenes vivía en una tinaja, a la que también daba otros usos. Así, cierto día en que los habitantes de Corinto andaban afanados ante el inminente ataque de las tropas de Filipo de Macedonia, Diógenes hizo rodar su tinaja por las calles de la ciudad. Como alguien le preguntara por qué hacía eso, él respondió:

—Porque, andando todos tan ajetreados, no querría ser yo el único que no hiciera nada.

Nunca faltarán enterradores

Cuando le preguntaron quién le daría entierro al morir, careciendo como carecía de familiares y siervos, Diógenes contestó:

—Aquel que quiera quedarse con mi morada.

Fidelidad a los perros

Sobre la muerte de Diógenes circularon muchas versiones. Según una de ellas, murió de un cólico provocado por la ingestión de un pulpo vivo; según otra, fue como consecuencia de una caída, tras haberle mordido un tendón uno de los perros entre los que trataba de repartir un pulpo; y según otra más, murió por propia voluntad, reteniendo la respiración. También circula una leyenda según la cual sus últimas palabras fueron:

—Cuando me muera echadme a los perros. Ya estoy acostumbrado.

Curtirse entre putas

A Crates, discípulo de Diógenes, sus conciudadanos lo llamaban el Abrepuertas, porque tenía la costumbre de colarse en las casas sin llamar, sólo para soltar alguna de sus máximas y frases ingeniosas. También le gustaba rondar por los burdeles para insultar a las prostitutas, las cuales no se quedaban cortas en sus réplicas. Cuando alguien le preguntaba a qué se debía esa actitud, él respondía:

—Lo hago para curtirme en las disputas. Así sé cómo responder luego a los insultos de los filósofos.

FLATUS VOCIS

Pero no siempre Crates sabía responder con certeza a lo que se le preguntaba, pues cuenta Diógenes Laercio que, habiéndole preguntado Estilpón algo a Crates, a éste se le escapó una ventosidad, y Estilpón le dijo:

—Ya sabía yo, Crates, que todo lo hablas, menos lo que conviene oír.

HASTA CUÁNDO FILOSOFAR

Cuando un discípulo le preguntó a Crates hasta cuándo se debe filosofar, Crates le contestó:

—Hasta que veamos a los generales como lo que realmente son: conductores de asnos.

DEMASIADOS ALEJANDROS EN EL MUNDO

Crates era oriundo de Tebas, ciudad que había sido arrasada por las tropas de Alejandro Magno. Un día Alejandro le preguntó si le gustaría ver reconstruida su ciudad natal. Y Crates le contestó:

—¿Para qué? ¿Para que venga pronto otro Alejandro y la arrase de nuevo?

EL DERECHO A LA BOFETADA

Hiparquia, la bella hermana de Metrocles, discípulo de Crates, se enamoró del maestro de su hermano, a pesar de que Crates era medio jorobado. Despreciando las convenciones sociales, Hiparquia y Crates satisfacían sus necesidades allí donde les apetecía (más de una vez se les vio haciendo el amor en público). Pero no sólo les gustaba provocar de esta manera a sus conciudadanos, sino que también solían desafiarlos con ingeniosos dardos verbales, como aquella ocasión en la que Hiparquia arremetió contra Teodoro el Ateo con estas palabras:

—Puesto que tú reconoces que tenemos los mismos derechos —le dijo—, admitirás que si tú, Teodoro, haces algo que no puede considerarse delito, tampoco deberá ser considerado delito si eso mismo lo hago yo.

—Conforme —admitió Teodoro.

—Entonces —concluyó Hiparquia—, puesto que Teodoro no comete ningún delito si se da un guantazo a sí mismo, tampoco lo comete Hiparquia si le arrea idéntico guantazo.

Y tras esto, Hiparquia le propinó una bofetada.

La difícil proporción de una limosna

Como ya hemos dicho, los filósofos cínicos se caracterizaban por su austeridad. Pues bien, se cuenta que un cínico pedía un día limosna al rey Antígono:

—Sólo pido una dracma —imploró el filósofo cínico.

—Imposible, eso sería indigno de un rey como yo —le dijo Antígono.

—Dame un talento entonces —rogó el filósofo.

—¡Ni hablar! Eso sería demasiado para un cínico como tú.

La escuela de Megara

La escuela de Megara (fundada por Euclides de Megara, a quien no hay que confundir con el matemático), que combinaba las enseñanzas de Sócrates con las de Parménides, destacó sobre todo por sus investigaciones de carácter lógico. Pero tampoco faltaba entre sus miembros el sentido del humor, como el de aquel que una vez le preguntaba al estoico Zenón si había dejado ya de dar palizas a su padre, comprometiendo con ello al pobre Zenón, pues no se puede salir bien parado de esta pregunta ni contestando que sí ni contestando que no: porque, quien contesta que sí, está reconociendo que en el pasado ha dado palizas a su padre, y quien contesta que no está admitiendo que se las sigue dando todavía.

A otro de los miembros de la escuela, Eubúlides de Mileto, se le atribuyen un buen número de paradojas, entre ellas la famosa del mentiroso, según la cual la verdad o falsedad de una oración como: «Estoy mintiendo», resulta siempre paradójica, pues si la oración es verdadera, al mismo tiempo ha de ser falsa (ya que será verdad que «estoy mintiendo»), y si la oración es falsa, al mismo tiempo tendrá que ser verdadera (ya que, si es falso que estoy mintiendo, entonces estoy diciendo la verdad). También parece ser el autor de argumentos sofísticos como el del cornudo, que dice así:

> *Tienes lo que no has perdido,*
> *no has perdido los cuernos,*
> *luego tienes los cuernos.*

LAS COCES DE ARISTÓTELES

Aristóteles fue el discípulo más aventajado de Platón, superando muchas veces en sabiduría a su maestro. Por otra parte, había ciertas cosas en la filosofía de Platón con las que no comulgaba, especialmente su teoría de las Ideas, que consideraba errónea. Aristóteles no veía motivo para admitir la existencia de las Ideas, de las esencias como realidades separadas de las cosas sensibles. Cuando Aristóteles tuvo que elegir entre la fidelidad a la verdad y la fidelidad al maestro, sentenció: «Soy amigo de Platón, pero soy más amigo de la verdad».

Platón debió de sentirse molesto por el distanciamiento de Aristóteles, o, al menos, así lo refiere una leyenda según la cual Platón habría afirmado en alguna ocasión: Aristóteles nos tira coces, como hacen los potrillos con sus madres, olvidando que los han parido.

LOS AZOTES QUE NO DUELEN

Claro que una cosa son las críticas y otra las calumnias, a las cuales ni Aristóteles ni Platón parece que fueran aficionados, aunque sí fueran víctimas de ellas. Pero un filósofo sabe cómo reaccionar: cuando alguien le comentó una vez a Aristóteles que había quien le calumniaba a sus espaldas, Aristóteles comentó:

—No estando yo presente, como si me quieren azotar.

A PALABRAS NECIAS...

Un charlatán hablaba un día con Aristóteles y no terminaba nunca su perorata, salpicando su discurso de alusiones malévolas al filósofo. Como Aristóteles permanecía impasible y no decía nada, el charlatán le preguntó:

—¿No te estarás molestando por mis palabras?

—No, no, ni mucho menos. Hace ya un buen rato que dejé de escucharte.

Aristóteles (384-322 a.C.)

55

UNA PREGUNTA DE CIEGO

Le preguntaron una vez a Aristóteles qué explicación encontraba al hecho de que busquemos más frecuentemente el trato con los que son hermosos que con los que son feos. Y Aristóteles respondió:

—Esa pregunta es propia de un ciego.

EN EL TÉRMINO MEDIO ESTÁ LA VIRTUD

Aristóteles defendía una ética basada en el cultivo de las virtudes, entendiendo la virtud como el término medio entre dos excesos. Así, por ejemplo, el valor es el término medio entre el temor y la temeridad. Y la generosidad está en el término medio entre la avaricia y la prodigalidad. A propósito de estos dos excesos afirmaba que hay hombres tan tacaños que parecen creer que van a vivir eternamente; y que por el contrario hay hombres tan pródigos que parecen pensar que no les queda ni un día de vida.

LA GANANCIA DEL MENTIROSO

Un día le preguntaron a Aristóteles qué ganan los hombres mintiendo. Y Aristóteles respondió:

—No ser creídos cuando digan la verdad.

LA DENTADURA FEMENINA

El trabajo filosófico de Aristóteles contrasta claramente con el de Platón, pues se mostró mucho más interesado que él en la recogida y clasificación de datos. Además, no sólo organizó y clasificó las distintas ramas del saber científico, sino que fundó una nueva ciencia, la lógica, centrada en el estudio de las formas del pensamiento correcto.

Pero, aunque Aristóteles fue uno de los pocos filósofos griegos que se interesaba por la observación empírica, lo cierto es que también él privilegiaba el papel del pensamiento puro. Precisamente por no comprobar algunas de sus especulaciones cometió algunos errores de bulto. Así, por ejemplo, afirmó que, entre las cabras, los cerdos y los humanos, los individuos de sexo femenino tenían menos dientes que los de sexo masculino. A propósito de ello, Bertrand Russell comentaba en tono de broma:

—Se casó dos veces, ¡pero nunca se le ocurrió examinar la dentadura de sus esposas para comprobar su hipótesis!

LA BÚSQUEDA DE LA VIRTUD

Jenócrates fue discípulo de Platón y llegó a dirigir, a la muerte de Espeusipo, la Academia que fundara su maestro, si bien éste nunca lo tuvo por persona especialmente espabilada (comparándolo con Aristóteles, dijo que éste necesitaba tanto freno como aquél acicate).

A propósito de él se cuenta que, cuando Eudamidas, rey de Esparta, visitó la Academia de Atenas y preguntó quién era aquel anciano que tanto disertaba, le respondieron que se trataba de un gran sabio que perseguía la virtud. A lo cual, Eudamidas replicó:

—¿Con lo viejo que es y aún anda buscándola? Cuando la encuentre ya no le va a quedar tiempo para practicarla.

Pirrón de Elis suele ser considerado como el fundador del escepticismo, la escuela filosófica que desconfía radicalmente de cualquier doctrina sobre el mundo, invitando por tanto a suspender el juicio sobre cualquier asunto, aunque sin renunciar a la búsqueda de la verdad.

La suspensión del juicio que propugnaba Pirrón no era un capricho ni una actitud insensata, sino más bien un camino ineludible para alcanzar la felicidad. Y la felicidad, según él, consiste en la ataraxia, la tranquilidad del espíritu, una idea que Pirrón y su maestro Anaxarco aprendieron de los gimnosofistas, unos sabios hindúes que mostraban una total indiferencia ante el dolor y que ellos conocieron durante la expedición de Alejandro Magno a la India.

Esta imperturbabilidad del ánimo que ellos predicaban queda reflejada (o tal vez parodiada) en la siguiente anécdota de la que se les supone protagonistas: caminaban los dos en silencio por tierras pantanosas que nadie solía frecuentar, pues existía el peligro de hundirse en una ciénaga. Pero ellos eran dos escépticos que descreían de todas las opiniones y los tópicos: «Vaya usted a saber dónde está de verdad el peligro», puede que se preguntaran los dos amigos durante su paseo. Sin embargo, quiso la mala suerte que Anaxarco cayera en una de aquellas ciénagas; Pirrón, entonces, haciendo gala de su escepticismo, continuó su camino con absoluta indiferencia. Claro que Anaxarco no se quedó atrás en su ratificación de los principios escépticos y, en cuanto consiguió salir de la ciénaga, se apresuró a elogiar la indiferencia que Pirrón había mostrado al seguir su camino tan despreocupadamente.

Roger-Pol Droit y Jean Philippe de Tonnac, en su libro *Aquellos sabios locos*, imaginaron un final burlón para esta anécdota, en la que Anaxarco acababa sentenciando:

—No estoy seguro de que estas tierras cenagosas sean un peligro, pero admito que lo parecen.

Azotado por el destino

Zenón de Citio fue el fundador del estoicismo. La escuela estoica se instaló en un lugar llamado el «Pórtico pintado» y de ahí recibió su nombre, pues «pórtico» en griego es «stoa». Según los estoicos, existe una especie de ley universal o destino que rige todos los acontecimientos. Nada de lo que ocurre escapa a esta ley, que para ellos se confunde con la Razón universal.

Algo debía de conocer de la doctrina estoica un esclavo de Zenón que fue sorprendido un día mientras robaba, pues al ser azotado por su amo se justificó diciendo:

—Si he robado es porque era mi destino robar.

A lo que Zenón repuso:

—Y también es tu destino ser azotado.

Escuchar más que hablar

Zenón tenía fama de poco hablador y parece ser que le disgustaba enormemente la verborrea. Por eso, cierta vez en que un joven hablaba y hablaba sin parar, Zenón le contravino diciéndole:

—Muchacho, ¿es que no sabes que tenemos dos orejas y sólo una boca para oír mucho y hablar poco?

Filosofía para adelgazar

Entre las cosas que Zenón de Citio predicaba estaban el autodominio de las pasiones y el desapego de los bienes materiales. Pues bien, como los discípulos de Zenón eran muchos, Filemón, un comediógrafo, parodió su enseñanza con estas palabras: «¡Qué extraña filosofía es ésta, en la que hay un maestro que enseña a tener hambre y tantos discípulos lo escuchan extasiados! ¡Yo, como muerto de hambre siempre he sido autodidacta!».

LA RACIONALIDAD DEL MUNDO

Zenón estaba convencido de la racionalidad del mundo. Uno de los argumentos que daba a favor de esta tesis era el siguiente: puesto que la racionalidad es mejor que la irracionalidad, y dado que el mundo es mejor que cualquier otra cosa, hay que deducir que el mundo es racional. De este argumento se burlaba el megárico Alexino diciendo que, por esa misma regla de tres, el mundo ha de ser también gramatical y poético, ya que es mejor tener esos atributos que tener los contrarios.

UN CARRO POR LA BOCA

Como ya dijimos en el prólogo, Crisipo fue uno de los filósofos más importantes del estoicismo antiguo, aunque casi todos sus escritos se han perdido. Si Zenón se interesó sobre todo por la ética, él se dedicó especialmente al estudio de la lógica.

Según él, hasta los perros utilizan la lógica, como se puede comprobar si los observamos cuando van siguiendo el rastro de una fiera y llegan a un cruce donde tienen que elegir entre dos sendas distintas. Si, tras rastrear una de ellas, la descartan, optarán automáticamente por la otra, como si el perro en cuestión utilizara un silogismo disyuntivo del tipo: A o B, no A; luego B.

A Crisipo le gustaba jugar con los argumentos lógicos y hasta con los sofismas. A él se le atribuye la autoría de algunos famosos sofismas, como el del cornudo (también atribuido, como hemos visto, a Eubúlides de Mileto) o el del carro, que dice así:

Lo que dices pasa por tu boca,
pero tú dices «carro»;
luego un carro pasa por tu boca.

LA MEJOR ESPOSA

Bión de Borístenes, alumno de Teofrasto y de Jenócrates, fue un filósofo moralista que practicó una especie de cinismo suavizado. La vena satírica de Bión está presente en alguna de las anécdotas que la tradición le atribuye, como aquella en la que alguien le pide consejo sobre el tipo de mujer que debía elegir como esposa, y Bión le contesta:

—Desengáñate, si te casas con una mujer guapa, tendrás que compartirla con otros hombres; y si te casas con una fea tendrás que soportar mirarle a la cara.

LOS ANZUELOS DE BIÓN

En cierta ocasión, Bión le echó el ojo a un apuesto joven e intentó seducirlo sin éxito. Como alguien, enterado de su fracaso, se burlaba de él, Bión le dijo:

—De nada sirven los anzuelos cuando el queso está muy tierno.

Pocos filósofos han sido tan difamados a lo largo de la historia como Epicuro de Samos. Desde luego, Epicuro no fue muy condescendiente con algunos de los principales filósofos griegos (parece ser que a Platón lo llamaba «el áureo» porque había escrito que los filósofos pertenecen a la «raza de oro»; a Protágoras, «el portafardos»; a Demócrito, «lerócrito», esto es, discutidor de bobadas; y a Aristóteles, «vendedor de drogas»), pero esto no justifica la saña con la que él y su escuela fueron tratados por los filósofos durante muchos siglos. Quizá esta inquina se deba al hecho de que la doctrina epicúrea convertía el placer en el bien supremo que debemos alcanzar los humanos para ser felices, si bien es cierto que el placer que tanto encarecían los epicúreos era un placer moderado, pues estaban convencidos de que los placeres exagerados ocasionaban más perjuicios que satisfacciones.

Epicuro compró en Atenas un jardín para que él y los suyos pudieran reunirse y convivir. Allí acudían gentes de toda condición: esclavos y hombres libres, varones y mujeres, ricos y pobres... Este jardín dará nombre a la escuela de Epicuro (la escuela del Jardín) y será también blanco de todo tipo de rumores sobre las actividades que desarrollaban los que allí se reunían (que si copulaban sin parar, entregándose a las más desenfrenadas orgías, que si bebían y comían como cerdos, etc.). Sobre todo los estoicos (la escuela filosófica que se consideró rival de la epicúrea durante mucho tiempo), que tanto predicaban la impasibilidad y la virtud, no cejaron en su empeño de difamarlos. Uno de los ataques más virulentos por parte de los estoicos fue obra de Diotimo, quien escribió cincuenta cartas apócrifas de carácter obsceno y se las adjudicó a Epicuro. Y así, mientras que el nombre de Epicuro y su escuela quedaba ligado al del desenfreno sexual y hasta a ciertas perversiones, lo cierto es que en «El Jardín» no había sitio sino para la amistad, la conversación y los placeres más moderados.

Pero, aunque la maledicencia se cebara con la escuela epicúrea, ésta no dejaba de ganar adeptos. Cuando le preguntaron a Arcesilao (el fundador de la Academia Media, heredera de la Academia que fundó Platón, a la que dio una orientación moderadamente escéptica) cómo explicaba que muchos discípulos de otras escuelas se pasaran a la de Epicuro, pero no al revés, contestó:

—Porque de los hombres se pueden hacer eunucos, pero de los eunucos no se pueden hacer hombres.

AUNQUE LA MONA SE VISTA DE SEDA...

Un jovenzuelo que se acicalaba mucho para simular una belleza de la que carecía, le preguntó una vez a Arcesilao que si los sabios podían enamorarse, y éste respondió:

—Claro que sí, pero nunca de una belleza falsa como la tuya.

LOS MAESTROS SIN MIRAMIENTOS

Carnéades dio continuidad a la tendencia moderadamente escéptica de la Academia. Su obra se desarrolló sobre todo en polémica con la del estoico Crisipo, hasta tal punto que llegó a reconocer que «si no hubiera existido Crisipo, tampoco hubiera existido Carnéades».

Decía Carnéades que los príncipes no alcanzan verdadera destreza en ninguna disciplina, salvo en la equitación, porque mientras que todos los cortesanos se dejan vencer en cualquier competición con ellos, los potros tiran a tierra con idéntica falta de miramientos a los hijos de los reyes y a los del vulgo.

También los estúpidos están por todas partes

Como ya hemos dicho, los estoicos estaban convencidos de que todas las cosas que suceden en el universo están rigurosamente determinadas. Es por eso por lo que tuvieron en alta estima las técnicas adivinatorias, pues creyeron que eran aptas para descifrar nuestro destino y prevenir en lo posible el futuro.

Uno de los argumentos que utilizaban los estoicos para defender la adivinación era el de que todos los pueblos conocidos la practicaban. Si es utilizada en todas partes, decían, será porque las técnicas adivinatorias son pródigas en aciertos. A lo que ya el ecléctico Cicerón replicaba, en el siglo I a.C., que nada hay tan universal entre los humanos como la estupidez y, sin embargo... ¡no por ello decimos que los estúpidos acierten!

La inconsistente prueba de la verdad

En una cena con Cicerón y otros hombres ilustres de Roma, una mujer cuarentona presumió de no tener más que treinta años. Como vio a su alrededor unas sonrisas incrédulas, quiso avalar sus palabras con el testimonio de Cicerón, quien la conocía desde hacía tiempo. Pero Cicerón se limitó a decir:

—Yo creo que lo que dice esta mujer debe de ser cierto. ¿Cómo va a mentir alguien que lleva más de diez años diciendo lo mismo?

Una pregunta difícil de contestar

Metelo Nepote, un aristócrata que despreciaba a Cicerón por su origen plebeyo, le preguntó repetidamente durante un litigio:

—Pero tú, ¿quién te crees que eres? ¿Quién era tu padre?

Y Cicerón le respondió:

—Por culpa de tu madre, esa pregunta es difícil de contestar.

La razón del emperador

Un filósofo escéptico de la Academia Nueva, Favorino de Arelate, discutía a menudo con el emperador Adriano, aunque siempre acababa dándole la razón. Un día alguien se lo reprochó y Favorino se excusó diciendo:

—Sería peligroso no dar la razón a quien tiene treinta legiones para defenderla.

Una fractura anunciada

Como ya apuntamos antes, los estoicos eran gente bastante sufrida y la experiencia del dolor no les hacía cambiar de idea así como así. Famosa es la resignación con que Epicteto, siendo esclavo, aguantó las maniobras del amo sobre su pierna. Epafrodito, que así se llamaba el amo, quiso poner a prueba la capacidad de resignación estoica de Epicteto, retorciéndole la pierna. Ante lo cual, Epicteto repetía mansamente:

—Que la vas a romper, que la vas a romper...

Pero Epafrodito siguió retorciendo la pierna de Epicteto hasta que finalmente se rompió. Ante lo cual, Epicteto comentó sin inmutarse:

—Mira que te he dicho que la romperías.

En el siglo III, Plotino desarrolló un neoplatonismo que intentó conjugar las exigencias racionales de la filosofía con las aspiraciones místicas de la religión.

De hecho, se convirtió en el prototipo de filósofo asceta y místico, tanto que su discípulo y biógrafo Porfirio dice que «parecía avergonzarse de tener cuerpo», si bien el mismo Porfirio refiere que a los ocho años Plotino todavía frecuentaba la casa de su nodriza para mamar de su teta de vez en cuando, lo cual no parece muy ascético que se diga, aunque puede que algo tenga que ver con su precoz búsqueda del éxtasis.

Plotino pensaba que el mundo había surgido por emanación a partir de Dios, al que se refiere con el nombre de *Uno* por considerar que es el que mejor se aviene con su naturaleza no múltiple. Según Plotino, el Uno, al pensarse a sí mismo, da origen al Intelecto o Inteligencia Divina, que es su imagen; el Intelecto, a su vez, da origen al Alma del Mundo, que es la imagen del Intelecto y que acaba fragmentándose en multitud de almas individuales. Es así como el mundo va emanando de imagen en imagen en un proceso de degradación en el que cada imagen resulta siempre ser más imperfecta que aquella de la cual es copia.

De ahí que, cuando Amelio, su íntimo colaborador, le sugirió la conveniencia de dejarse retratar por un pintor, Plotino rechazó la propuesta arguyendo:

—Ya es bastante triste estar condenado a sobrellevar la imagen en la cual la naturaleza me ha encarcelado como para añadirle encima la imagen de esa imagen.

FILOSOFÍA ORIENTAL

¿PARA QUÉ TANTA MORTIFICACIÓN?

En la misma época en que surge en Grecia la filosofía (siglo VI a.C.) desarrolla su pensamiento en la India Siddharta Gautama, más conocido como Buda. A la edad de treinta años, Buda, tras haber meditado sobre los males que aquejan a la vida (la enfermedad, la vejez, la muerte...), buscó el camino de la salvación llevando una existencia de monje penitente, hasta que acabó convenciéndose de que las penitencias no llevaban a la iluminación. Abandonó entonces la vía del puro ascetismo y se entregó a la meditación. Una noche, meditando al pie de una higuera, fue iluminado (Buda significa «el iluminado»). Descubrió entonces que la vida es sufrimiento, que el origen de ese sufrimiento se encuentra en nuestros propios deseos y que la manera de superarlo consiste en renunciar a todos nuestros deseos y a la ilusión del yo. La vía que Buda propone es una vía intermedia entre la mundana que aboga por el disfrute de los placeres sensuales y la del ascetismo mortificante. Por otra parte, desprecia todo aquello que no conduzca a la salvación.

De ahí que una de las anécdotas atribuidas a Buda nos lo muestre en el momento en que un monje se presenta ante él presumiendo de haberse sometido durante doce años a una estricta y dolorosa penitencia.

—¿Y para qué te ha servido tanta penitencia? —le preguntó Buda.

—Por ejemplo, para caminar sobre las aguas.

Pero Buda, lejos de mostrarse impresionado, se burló de él diciéndole:

—¿Y para qué quieres caminar sobre las aguas habiendo barcas para surcarlas?

La mejor pregunta

Cuenta una leyenda que Epiménides el cretense (un filósofo y poeta incluido en alguna de las listas de los siete sabios de Grecia y que también debería estar incluido en la lista de los siete durmientes, pues según Plutarco pasó cincuenta años seguidos durmiendo, aunque otros dicen que se queda corto y que fueron cincuenta y siete) viajó a la India y le preguntó a Buda:

—¿Sabrías decirme cuál es la mejor pregunta que puede hacerse y cuál es la mejor respuesta que puede darse?

Y Buda le contestó:

—La mejor pregunta que puede hacerse es la que tú acabas de hacer y la mejor respuesta que puede darse es la que yo te estoy dando.

El regalo rechazado

Un sermón de Buda fue interrumpido por los improperios que un hombre le dirigía. Buda entonces le preguntó serenamente:

—Si un hombre le ofrece a otro un regalo, pero éste es rechazado, ¿a quién pertenece ese regalo?

Buda (560-483 a.C.)

El hombre contestó:

—A quien lo ofreció, naturalmente.

Y Buda apostilló:

—Entonces, como yo declino aceptar tus injurias, te corresponde a ti quedarte con ellas.

EL VACÍO LLENO DE IRA

Según la doctrina budista, el mundo es pura ilusión. Todo en él es fenómeno, apariencia, devenir. Pero aquello que se oculta tras él no es una realidad positiva sino más bien la pura nada. Sin embargo, los maestros budistas insisten en que no es fácil aprender conceptualmente la visión correcta si no es purificando de verdad nuestra alma. De ahí que, según cierta leyenda, cuando un soldado japonés se acercó a un maestro budista jactándose de haber descubierto que la verdadera realidad era sólo la del vacío, éste le asestara una bofetada. Como la reacción del soldado fue iracunda, el sabio le preguntó:

—Si todo está vacío, ¿de dónde viene tanta ira?

CONTRA LA METAFÍSICA

Buda se negaba a teorizar sobre problemas metafísicos. Pensaba que las teorías metafísicas se convierten con facilidad en obstáculos en el camino de la salvación, pues tienden a plantear las cuestiones en términos que nos impiden liberarnos de nuestro estado habitual de conciencia. Este tipo de problemas nos distraen de nuestra auténtica meta, que no es otra que la salvación. «Es —decía Buda— como si un hombre que hubiese sido alcanzado por una flecha envenenada se empeñara en que no le extrajeran la flecha hasta no averiguar quién la disparó y desde qué arco fue arrojada.»

Esta desconfianza ante cierto tipo de preguntas trascendentales aparece teñida de humor en la respuesta que el maestro budista le da a su discípulo cuando éste le pregunta cuál es el secreto del mundo:

—Si te lo digo, dejará de ser un secreto.

HIERBA PARA EL MAESTRO

Es común a muchas de las filosofías y religiones orientales la creencia en la transmigración de las almas, si bien el budismo, que descree de la existencia del alma como sustancia permanente, prefiere hablar del renacimiento de las formas tras la muerte de los individuos. Un *koan* budista hace referencia a ello con su buena dosis de humor:

Un discípulo le preguntó a su maestro dónde podría encontrarlo dentro de cien años y el maestro le respondió:

—Dentro de cien años seré un buey y estaré pastando en la ribera del río.

—¿Y podré seguirte? —preguntó el discípulo.

El maestro le contestó:

—Si lo haces, asegúrate de que no me falte hierba.

EL FAROL DEL MAESTRO

Si famosa fue en la Grecia antigua la lámpara de Diógenes, también los orientales tienen famosas leyendas de sabios burlones y faroles:

Un maestro zen caminaba en la oscuridad de la noche acompañado de su discípulo. Como el maestro llevaba un farol encendido, el discípulo le dijo:

—Maestro, yo tenía entendido que podías ver en la oscuridad.

—Y puedo —ratificó el maestro.

—Entonces, ¿para qué necesitas la luz del farol?

—Para que aquellos que no pueden ver en la oscuridad no tropiecen conmigo.

TODO ES DIOS

El panteísmo es la doctrina según la cual todo lo que existe es Dios. Pero, si todo es Dios, ¿cómo se explica la lucha constante de unos seres con otros? ¿Cómo explicar la destrucción de unos a manos de otros?

Por otra parte, si todo es Dios, dicen algunos, todo es lo mismo, y de ahí se precipitan a concluir que todo da igual. Pero, que todo sea Dios, responden otros, no significa que haya que confundirlo todo y renunciar a discernir unas cosas de otras. «No tomes la soga por una serpiente ni la serpiente por una soga», dice Ramiro Calle, al comentar un antiguo relato de la tradición india que habla de un hombre que malinterpretó el mensaje panteísta de su maestro espiritual. De manera que cuando se topó con un elefante que corría hacia él, decidió no quitarse de en medio, a pesar de que el muchacho que conducía al elefante le avisó repetidas veces para que lo hiciera porque el animal se había vuelto loco. Aquel hombre pensó que, si tanto el elefante como él mismo eran Dios, nada malo podía ocurrirle, pues Dios no iba a hacerse daño a sí mismo. Pero finalmente el elefante embistió y el hombre acabó con varias costillas rotas. Cuando unos días después se lamentaba ante el gurú, éste le explicó lo siguiente:

—Vamos a ver, Dios está en ti y en el elefante. Pero también estaba en el muchacho que te avisó para que te apartaras. ¿Por qué no hiciste caso de sus palabras, insensato?

Aunque la filosofía china no es monolítica, sino que presenta distintas variantes y escuelas, es posible encontrar unas coordenadas comunes a todas ellas. Así, por ejemplo, la búsqueda de la armonía, el equilibrio y la paz del alma; la creencia en que el hombre es parte de la naturaleza, pero también de la sociedad en que vive; la afirmación de dos grandes principios opuestos que no se excluyen, sino que se complementan, etc.

Uno de los pensadores que más huella han dejado en la cultura china es Confucio (quien también nació en el siglo VI a.C. Ya se trate de Grecia, China o la India, este siglo parece decisivo para dar origen a la filosofía). Su doctrina propugnaba que las relaciones familiares se constituyeran en modelo de las relaciones sociales y políticas, de manera que el respeto que los hijos deben mostrar hacia sus padres rija igualmente en el ámbito de la sociedad.

Por otra parte, aunque Confucio encarecía la benevolencia y el esfuerzo, afirmaba también que el éxito de nuestras acciones obedece al destino. Lo único que depende de cada uno es la intención buena o mala con que se hagan las cosas y la voluntad que se ponga en ello. Pero el resultado de nuestras acciones es obra del destino.

A propósito de esto, un ermitaño dijo de él con algo de sorna: «¿No es ése el hombre que va diciendo que nada puede hacerse para salvar el mundo y sin embargo sigue intentándolo?».

LOS SABIOS TAMBIÉN SUFREN

En cierta ocasión en que la adversidad se cebó con Confucio y sus discípulos mientras andaban de viaje (se les agotaron las provisiones y varios discípulos cayeron enfermos), uno de ellos se disgustó y le preguntó al maestro:

—¿Pero es que también los hombres superiores tienen que pasar por estas miserias?

—Ciertamente —respondió Confucio—, pero sólo los hombres vulgares pierden la compostura cuando tienen que sufrirlas.

La virtud detrás de la lujuria

Trabajaba Confucio para el duque de Wei, cuando éste dispuso que el sabio le siguiera en otra carroza durante su paseo por la plaza. Como el duque iba acompañado de su consorte Nan-tsé, mujer de costumbres licenciosas, la gente del pueblo se mofaba de ellos diciendo: «Mirad qué cuadro, la lujuria delante y la virtud detrás».

El sabio y la tortuga

Chuang Tzu fue un filósofo chino del siglo IV a.C. Poco sabemos de su vida. Parece que desempeñó por un tiempo un cargo de funcionario en la manufactura de laca de su ciudad natal, pero acabó dejándolo para vivir una vida retirada. Su fama de hombre sabio se extendió pronto y un día el rey del Estado de Chu quiso darle un alto cargo en la administración del Estado y mandó a unos emisarios a comunicárselo. Pero Chuang Tzu, rechazando la oferta, se dirigió a los emisarios con estas palabras:

—He oído que el rey de Chu posee el caparazón de una tortuga que murió hace tres mil años. Dicen que lo guarda envuelto en suntuosos paños y que lo utiliza para las sesiones de adivinación. Pero yo os pregunto: ¿creéis que esa tortuga hubiera querido morir para que su caparazón fuera tan reverenciado, o hubiera preferido seguir viviendo, arrastrando su cola por la ciénaga?

Los emisarios respondieron que sin duda la tortuga hubiera preferido esto último. Y Chuang Tzu apostilló:

—Decidle al rey que yo también prefiero seguir arrastrando mi cola por la ciénaga.

SOMBRAS CHINAS

Chuang Tzu cuenta también la siguiente historia, donde se insinúa que muchas de nuestras desgracias tal vez sean consecuencia de nuestra estupidez, de no saber entender bien la naturaleza de las cosas. Porque a veces es como si nosotros mismos provocáramos aquello que más tememos:

«Había una vez un hombre que tenía miedo de su sombra y que renegaba de sus huellas; quiso huir de ellas, pero cuanto más corría, más huellas iba dejando, y por mucho que corriera su sombra no se separaba de él; entonces, creyendo que el problema estaba en que no corría lo bastante deprisa, corrió lo más velozmente que pudo y no paró de correr hasta que murió agotado. Aquel hombre ignoraba que poniéndose a la sombra, la sombra desaparece, y que permaneciendo en quietud no se dejan huellas».

Pero en la cultura china es posible encontrar también elementos de una tradición que, en lugar del miedo a la sombra, nos muestra el terror ante la sola idea de perderla, pues tanto se nos asemeja nuestra sombra que su desaparición puede interpretarse como un anticipo de la nuestra. Así, durante mucho tiempo, en China, los asistentes a un funeral tenían siempre buen cuidado de no dejar que su sombra quedara atrapada dentro del ataúd del muerto en el momento en que se cerraba la tapa.

Por si acaso, lector, es usted supersticioso, asegúrese, antes de continuar con la lectura, de que su sombra está a buen resguardo. Y, sobre todo, no deje que una parte de ella quede atrapada entre las páginas de este capítulo cuando cierre el libro.

También los cuervos tienen derecho a comer

Cuando Chuang Tzu agonizaba supo que sus discípulos preparaban un entierro suntuoso para él, y les desanimó advirtiéndoles lo siguiente:

—Si me enterráis serviré de alimento a gusanos y hormigas. ¿Pero acaso no tienen también los buitres derecho a comer? Si les dais mi cuerpo a las hormigas se lo hurtáis a los buitres y a los cuervos. ¿Por qué tanta enemistad hacia los pájaros?

Chuang Tzu, el hombre mariposa

Fiel a la doctrina taoísta, Chuang Tzu mostraba un enorme interés por la infinidad de formas en que se manifiesta la naturaleza y la mutación constante de los seres, sospechando siempre que detrás de esa multiplicidad de formas se esconde un fondo último invariable (el Tao). A ello, y a las dificultades para distinguir entre la apariencia y la verdadera realidad, responde la siguiente fábula que Chuang Tzu contó una vez:

—Una noche soñé que era una mariposa que revoloteaba despreocupadamente de aquí para allá. De repente, me desperté asombrado de ser yo mismo y haber vivido durante el sueño como si de verdad fuera una mariposa. Desde entonces ya no sé si soy un hombre que ha soñado ser una mariposa o si soy una mariposa soñando ser un hombre.

Chuang Tzu (369-290 a.C.)

A veces creemos que las experiencias que tenemos durante los sueños no cuentan y que lo mismo da si en ellas disfrutamos o sufrimos, pero no habría que olvidar que el tiempo que pasamos dormidos también estamos vivos, y que, además, las imágenes que desfilan ante nosotros pueden dejar un poso dulce o por el contrario amargo. Por otra parte, la intensidad con que experimentamos algunas de las cosas que nos pasan mientras soñamos es incluso mayor que la que sentimos mientras estamos despiertos (por eso dice Fernando Savater que la principal diferencia entre los sueños y la vigilia consiste en que aquéllos nunca son aburridos). De ahí que se comprenda bien la decepción que sufrió el protagonista de la siguiente historia cuando se despertó:

Un chino muy pobre está soñando con una botella de licor de arroz. Lleno de gozo y expectativas, el hombre enciende un infiernillo y pone el licor encima para tomarlo caliente. Justo entonces se despierta, se da cuenta de que no hay ningún licor que beber, y se lamenta:

—Maldita sea, si lo hubiera tomado frío me habría dado tiempo a beberlo antes de despertarme.

Mercadear con los sueños

Hay notables diferencias entre el mundo de los sueños y el mundo de la vigilia. Entre ellas están la confusión, la ambigüedad y la extravagancia de muchas de las cosas que soñamos. También, la escasa conexión entre los acontecimientos que ocurren en los distintos sueños de una misma persona, mientras que los sucesos de la vigilia aparecen conectados entre sí. A pesar de esto, no disponemos de un criterio definitivo que nos permita distinguir inapelablemente el sueño de la vigilia, pero ello no nos autoriza a mezclarlos a nuestro antojo, confundiéndolos interesadamente. A quien intente sembrar la confusión entre estos dos dominios, el del sueño y el de vigilia, mercadeando con ella, se le puede aplicar la justa sentencia que dictó el cadí para la bailarina del siguiente cuento árabe:

Había una vez una sensual y lasciva bailarina que un día se presentó ante un comerciante y le dijo:

—Anoche soñé que me besabas y abrazabas y te derretías de placer. El precio que cobro por dejarme abrazar son dos dinares de oro, así que págame.

Al comerciante ni se le pasó por la cabeza pagar, pero la bailarina se puso muy pesada y acabó llevándolo ante el cadí.

El cadí, tras oír la reclamación de la bailarina, le dijo al comerciante:

—Algo de razón no le falta a esta mujer. Tráeme los dos dinares de oro que pide y también un espejo.

El comerciante obedeció de mala gana. Cuando el cadí tuvo en sus manos las dos monedas, las colocó ante el espejo y le dijo a la bailarina:

—¿Ves esa imagen de los dos dinares de oro en el espejo? Pues ya estás pagada.

FILOSOFÍA MEDIEVAL

¿QUÉ HACÍA DIOS ANTES DE CREAR EL MUNDO?

San Agustín es uno de los filósofos que con más perspicacia ha abordado el problema del tiempo. Esta misma perspicacia le lleva a reconocer que cree saber lo que es el tiempo si no tiene que explicárselo a nadie, pero que si tiene que explicárselo a alguien se da cuenta de que no lo sabe. Según san Agustín, no hay tiempo donde no hay mundo, pues sin mundo no hay cambio, y sin cambio no hay tiempo. Por tanto, no pudo pasar un tiempo determinado antes de que Dios creara el mundo, sino que el tiempo y el mundo sólo pueden haber surgido a la vez.

De ahí que, según san Agustín, carezca de sentido preguntarse qué hacía Dios antes de crear el mundo, tal y como ocurría en un chiste de la época, por mucho que la respuesta del bromista fuera:

—Antes de la creación del mundo, Dios estaba preparando el infierno para quienes hacen ese tipo de preguntas.

CASTIDAD PARA DESPUÉS

San Agustín propugnaba en sus obras de madurez la castidad y el recogimiento, pero él mismo llevó durante sus años de juventud una vida bastante disoluta. En sus *Confesiones* reconoce que de joven recitaba esta plegaria: «Señor, concédeme castidad y continencia, pero todavía no».

EL LARGO MINUTO DE DIOS

Tanto en la filosofía cristiana como en la hebrea y en la musulmana aparece reflejada la idea de que el tiempo tal y como transcurre en el mundo de los hombres es bien distinto al tiempo que transcurre para Dios. Así se entiende una simpática broma de la tradición hebrea que recoge Jean-Claude Carrière en su libro *El círculo de los mentirosos* y que dice así:

Un hombre pedía dinero a Dios:

«—¡Tú que eres todopoderoso, te lo ruego, dame cien mil dólares! ¡Eso no es nada para ti! ¡Puedes hacer todo lo que quieres! El espacio no existe y cien años son como un minuto! ¡Mil años son como un minuto! ¡Para ti cien mil dólares son como un penique! ¡Te lo suplico, dame un penique!

Dios contestó:

—Espera un minuto...».

EL ARGUMENTO ONTOLÓGICO

San Anselmo de Canterbury propuso en el siglo XI su famoso argumento ontológico para la demostración de la existencia de Dios. Según este argumento, que expondremos en una formulación algo más refinada que la de san Ansel-

San Agustín (354-430)

mo, la existencia de Dios se deduce necesariamente de la idea de Dios, pues ésta no es otra que la de un ser perfecto, el ser más perfecto que se pueda imaginar. Y como la existencia es una perfección, Dios ha de tener la existencia, o de lo contrario no sería un ser perfecto.

Pero, como han señalado muchos filósofos posteriores, no es posible deducir la existencia de un ser a partir de la idea de ese ser. El argumento fue parodiado de distintas formas. Una de ellas consistió en utilizar una variante de él para demostrar la inexistencia del diablo porque, siendo el diablo el ser más imperfecto que podamos imaginar, y dado que la inexistencia es una imperfección, el diablo deberá tener esa imperfección y por lo tanto no es posible que el diablo exista.

EL DIALÉCTICO CASTRADO

Pedro Abelardo fue uno de los grandes dialécticos del siglo XII. Dotado de un gran atractivo físico, sus clases en la escuela catedralicia de París eran seguidas con entusiasmo por sus alumnos.

Confiando en el poder de la razón tanto como en el de la fe cristiana, al contrario de muchos de sus colegas, que despreciaban todo cuanto sonara a racional, Abelardo cosechó grandes éxitos en sus disputas filosóficas.

Pero su carrera empezó a truncarse cuando Abelardo y la hermosa Eloísa se enamoraron y tuvieron un hijo al que llamaron Astrolabio. Para mitigar el enojo de Fulberto, tío y tutor de Eloísa, que era un hombre obtuso obsesionado con el honor de la familia, Abelardo y Eloísa se casaron, pero Abelardo pidió que el matrimonio se mantuviera en secreto, pues la noticia podía dañar su fulgurante carrera de maestro. Por lo mismo, Abelardo envió a Eloísa durante una temporada a vivir al convento de Argenteuil, donde ella había sido educada. Pero Fulberto y sus parientes pensaron que con esto Abelardo no quería sino deshacerse de Eloísa, así que, dispuestos a vengar el honor de la familia, entraron una noche en el cuarto de Abelardo y lo castraron mientras dormía, lo cual, como sugiere con humor Piergiorgio Odifreddi, no deja de ser una ironía, ya que Abelardo fue el introductor del término «cópula» en la lógica.

Todo esto lo contó el propio Abelardo en un libro autobiográfico que no en vano tituló *Historia calamitatum*.

CORONAS COMO RAÍCES

Ramón Llull escribió sobre casi todas las disciplinas. Filosofía, teología, matemáticas, alquimia, pedagogía..., nada escapaba a la curiosidad de este sabio mallorquín interesado en convertir a judíos y musulmanes a la fe cristiana, para lo cual inventó un arte de razonamiento (el *ars combinatoria*) capaz, según él, no sólo de ordenar las verdades ya conocidas, sino también de descubrir nuevas verdades.

Toda su obra está sembrada de símbolos, alegorías, proverbios y cálculos cabalísticos, pero también de humor, como muestra el siguiente ejemplo:

«Dijo el agua que con ella coronaban al rey y que por tanto ella reinaba en el cerebro, y el fuego dijo que el rey no era más que un árbol vuelto del revés».

LAS APARIENCIAS ENGAÑAN

Cuenta Marcelino Menéndez Pelayo en su *Historia de los heterodoxos españoles* que, según cierta leyenda, Ramón Llull quedó prendado un día de la hermosura de una joven

Ramón Llull (1232-1316)

genovesa a la que siguió hasta el interior de la iglesia de Santa Eulalia. La dama (a la que algunos llaman Ambrosia del Castello y otros llaman Leonor) no halló otra manera mejor de contener el ímpetu de Llull que descubrirse el pecho y mostrarle su seno devorado por el cáncer. Así, el filósofo recibió una de las lecciones más reveladoras que se puedan aprender sobre «la vanidad de los deleites» humanos y lo engañosas que pueden llegar a ser las apariencias. A partir de entonces, Llull abandonó su casa y su familia y se dedicó al estudio de la ciencia y la religión.

«Esta historia —comenta burlonamente Alberto Savinio en su *Nueva Enciclopedia*— no sólo muestra lo falaz que es la apariencia, sino también la gran integridad de aquella dama, muy distinta de aquella otra que consiguió casarse y, en la noche de bodas, entre peluca, dentadura postiza, relleno de pecho y pantorrillas de pega, se dejó tres cuartas partes de su persona en el tocador.»

EL BUEY SILENCIOSO

Tomás de Aquino fue el filósofo más importante de la Edad Media. En su obra intentó conciliar algunos de los principales principios aristotélicos con el platonismo y la teología cristiana.

Su familia lo había preparado para dedicarse a la carrera eclesiástica, pero se sintió decepcionada cuando santo Tomás eligió la orden de los dominicos, una orden mendicante donde se hacía voto de pobreza. Para intentar disuadirle de su idea, sus hermanos llegaron a secuestrarlo y encerrarlo en la torre de un castillo propiedad de la familia. Pero Tomás aprovechó el período de encierro para estudiar más a fondo las Sagradas Escrituras, así como las *Sentencias* de Pedro Lombardo y las obras de Aristóteles. Para tentar a

Tomás, sus hermanos le enviaron una hermosa prostituta, a la que él hizo huir, amenazándola con un leño encendido de la chimenea. Finalmente, Tomás de Aquino se salió con la suya y pudo dedicar el resto de su vida al estudio y a la adoración de Dios.

Por cierto que, debido a su impertérrita actitud reflexiva y a su corpulencia, sus compañeros de estudios lo apodaron «el buey mudo». A este respecto, su maestro san Alberto Magno sentenció: «Lo llaman el buey silencioso. Pero yo digo que cuando este buey muja, sus mugidos llenarán el mundo».

Mira a quién le habla Dios

Toda la filosofía medieval gira en torno a la existencia de Dios. Santo Tomás de Aquino y otros filósofos medievales intentaron armonizar las relaciones entre la razón y la fe en Dios, pero lo cierto es que en esa supuesta concordia la razón salía siempre perdiendo.

Especialmente ajeno a la razón resulta todo lo referente a los milagros y las apariciones divinas. Aun así, hay creyentes que están convencidos de que Dios se aparece de vez en cuando ante algunos de nosotros. Una parodia de la gente demasiado crédula aparece en un relato polaco de origen judío, cuyo personaje principal, Srulek, es un tipo tan ocurrente como obtuso (casi un precedente de ese popular personaje televisivo de nuestros días llamado Homer Simpson). La historia cuenta que, un día, Srulek se presentó ante el rabino y le dijo:

—Rabino, rabino, Dios ha hablado.

El rabino, escéptico, preguntó:

—¿Contigo?

—No, con Pinkus. Me lo ha dicho él mismo.

Santo Tomás de Aquino (1225-1274)

—¿Y no sabes que Pinkus tiene fama de mentiroso?

Srulek se quedó pensativo durante un instante y por fin preguntó al rabino, no sin cierta perplejidad:

—Es cierto. ¿Y por qué habrá hablado Dios precisamente con un mentiroso?

La navaja de Ockham

La navaja más famosa de la historia de la filosofía es la navaja de Ockham, así llamada en homenaje al filósofo nominalista del siglo XIV que propuso el siguiente principio metodológico: no multiplicar los entes innecesariamente, es decir, no dar por supuesta la existencia de un ente si no es necesario para explicar los hechos. Con este principio de economía, Ockham intentó afeitar la metafísica y la teología tradicionales, que abundaban en la utilización de hipótesis y conceptos totalmente ajenos a la experiencia. Entre los filósofos que han asumido este higiénico principio, los que más apego han mostrado siempre por él han sido los llamados empiristas, de algunos de los cuales, sin embargo, se ha dicho que han acabado cortándose la nariz de tanto apurar con la navaja.

El asno de Buridán

Una de las fábulas más famosas de la historia de la filosofía es la fábula del asno de Buridán, falsamente atribuida a Jean Buridán, científico y filósofo del siglo XIV. La fábula dice así:

«Érase un asno hambriento que tenía a su alcance dos haces de heno iguales y equidistantes. Indeciso, el asno miraba a la izquierda y veía un montón de heno, miraba a la derecha y veía otro montón idéntico, y como los dos le atraían con idéntica fuerza no sabía inclinarse por ninguno de ellos. Finalmente, el asno acabó muriendo de inanición por no decidirse a comer de ninguno de los dos montones». Esta fábula ha sido interpretada de muy distintas maneras. A veces se emplea para mostrar que no hay libre albedrío, porque siempre elegimos un curso de acción u otro impulsados por la fuerza de los motivos, de manera que los motivos más fuertes son los que determinan nuestra elección. Pero más bien la fábula parece una parodia de esta teoría, cuyas absurdas consecuencias quedarían ridiculizadas. También se ha dicho que a los humanos nunca nos podría ocurrir algo semejante precisamente porque nosotros, a diferencia de los animales, tenemos libertad de indiferencia, es decir, tenemos la facultad de decidir con independencia absoluta de los motivos. Y tampoco faltan quienes matizan esta tesis, afirmando que la voluntad no es en absoluto indiferente a los motivos, aunque no se deja arrastrar por ellos de manera necesaria.

En fin, todavía hoy se sigue discutiendo en torno a la fábula. Por eso, aunque se nos haya dicho que aquel asno murió de hambre, más bien parece, como dice André Comte-Sponville, que «se mantiene siempre vivo».

LOS MÍSTICOS

La vertiente más radical de la mística medieval sostenía que el hombre no puede acceder a Dios por métodos racionales, pero sí puede comunicarse con él gracias al éxtasis. Claro que los místicos son parcos en palabras a la hora de explicar qué aspecto tiene el Dios cuyo trato frecuentan y en vez de decirnos algo de él se limitan a imitar el balbuceo de los bebés o a soltar una retahíla de todas las cosas que Dios justamente no es, o, en el mejor de los casos, a expresar de una manera poética la idea de que todo es uno y por tanto Dios está en todas partes. Así lo dejó dicho el Maestro Eckhart: «Los ojos con que vemos a Dios son los mismos con que Él nos mira».

Sobre los ángeles

Los ángeles, esas criaturas puramente espirituales que según la tradición judeocristiana cumplen la función de anunciar mensajes de Dios a los hombres, fueron objeto de numerosas especulaciones por parte de los filósofos y teólogos medievales. No sólo intentaron demostrar racionalmente su existencia, sino que discutieron infatigablemente sobre si eran totalmente inmateriales o no; si disponían de potencia y acto o si eran puro acto como Dios, etc. Tampoco faltaron las clasificaciones, como la del Pseudo-Dionisio, quien aventuró tres jerarquías, cada una de ellas compuesta de tres clases distintas.

Los debates sobre la naturaleza de los ángeles fueron antológicos. Si famosa fue la polémica sostenida en torno al sexo de los ángeles (asunto sobre el que todavía se discutía en la Constantinopla de 1453 y que daría origen a la expresión «discusiones bizantinas», porque mientras los teólogos allí reunidos polemizaban sobre el sexo angélico, el ejército turco se disponía a tomar la ciudad), no menos gloriosa resultó la que versaba sobre el número de ángeles que caben en la cabeza de un alfiler.

Respuestas y preguntas

A la filosofía cristiana se le ha criticado el no ser una verdadera filosofía, pues al otorgar un rango prioritario a la fe, da por supuestas una serie de verdades antes de investigarlas racionalmente. A mí esta actitud me recuerda cierta leyenda de la tradición cristiana según la cual había una vez un ermitaño que corría por el desierto gritando:

—¡Tengo una respuesta, tengo una respuesta! ¿Quién tiene una pregunta?

FILOSOFÍA MODERNA

¿CON QUIÉN PASAR LA ETERNIDAD?

Maquiavelo desempeñó durante varios años el cargo de Secretario de la Cancillería de Florencia, lo que le permitió conocer, entre otros, a César Borgia. Precisamente, por su nunca disimulada admiración hacia este turbio personaje llegó a ser apodado como «el mayordomo del diablo». Gracias a su intensa actividad diplomática, Maquiavelo conoció los secretos de la vida política, en la que, según él, predominan la manipulación y el engaño, y acabó desarrollando una filosofía política de corte realista que ensalza la razón de Estado, pues lo único importante para cualquier estadista es conservar el poder y mantener el orden. El príncipe deberá ser ante todo un estratega que sepa calcular sus acciones con vistas al único resultado que interesa: el éxito. Los fines, por tanto, justifican los medios.

Con una visión tan descarnada y pesimista de la política y de la condición humana, no es extraño que circule la siguiente leyenda en torno a su muerte: se dice que, ya enfermo y poco antes de morir, Maquiavelo soñó que estaba muerto. En su sueño, tuvo acceso a la visión del paraíso y del infierno. En el paraíso moraban los hambrientos, los

Nicolás Maquiavelo (1469-1527)

mansos y los pobres de espíritu, mientras que el infierno estaba repleto de filósofos, libertinos y hombres de Estado. Cuando Maquiavelo contó su extraña visión, alguien le preguntó que dónde preferiría pasar él la eternidad. Y Maquiavelo respondió:

—Sin lugar a dudas, prefiero la compañía de papas, príncipes y reyes a la de frailes, mendigos y apóstoles.

LOS NIÑOS PRODIGIO

Pico della Mirandola fue un filósofo italiano del Renacimiento que destacó por su sabiduría y su portentosa memoria. Ya de niño llamaba la atención por la precocidad de sus aprendizajes. Una vez, siendo un infante todavía, Pico hizo una demostración de talento ante varios asistentes a una reunión, y un cardenal que se encontraba presente entre los allí reunidos comentó maliciosamente que los niños prodigio se hacían idiotas de adultos. Pico no se mordió la lengua, y sentenció:

—Sí, ya se nota que vuestra eminencia fue un niño prodigio.

UN ESTÓMAGO LUTERANO

Erasmo de Rotterdam, humanista y filósofo católico del siglo XVI, destacó por su espíritu tolerante. Compartió con los luteranos el interés por impulsar una profunda reforma del cristianismo. Tanto es así que no faltaron los teólogos católicos que afirmaban que «Erasmo puso los huevos que empolló Lutero». Pero sus divergencias con los protestantes también fueron grandes, pues Erasmo siempre repudió el fanatismo luterano, y Lutero, por su parte, llegó a decir:

Erasmo de Rotterdam (1467-1536)

«Quien aplaste a Erasmo, ahogará a una chinche que todavía apestará menos muerta que viva».

Erasmo intentó recuperar el primitivo espíritu cristiano que había sido prácticamente sepultado en la práctica por la Iglesia oficial. Esta actitud suya distante ante muchos de los ritos y dogmas católicos queda manifiesta en ciertos episodios de su vida, como cuando, habiendo sido reprendido por alguien que lo sorprendió comiendo carne un viernes de Cuaresma, Erasmo replicó con humor:

—Es que mi alma es católica, pero mi estómago es luterano.

EL ANTIMECENAS

Erasmo recibió del obispo de Cambray una pensión para sufragar sus estudios de Teología en París. Erasmo, que por entonces ya contaba treinta años y a duras penas conseguía sobrevivir con aquella escasa asignación, tuvo que hospedarse en el Collège Montaigu, donde el exceso de disciplina y de austeridad se daban la mano con la falta de higiene y la abundancia de insectos. Un ambiente éste que Erasmo reflejaría en sus *Coloquios* cuando escribió que los hombres no salían de Montaigu con la frente cubierta de laureles, como solía creerse, sino de pulgas.

Tantas penurias pasó allí Erasmo durante un tiempo que en alguna ocasión llegó a burlarse del mecenazgo del obispo diciendo de él que en realidad era su antimecenas.

EL MATRIMONIO PERFECTO

Montaigne, filósofo francés del siglo XVI que hizo gala en sus *Ensayos* de un escepticismo tolerante y moderado, pensaba que no había en su época mejor institución que la del matrimonio, aunque, eso sí, matizaba que la elección del cónyuge debía hacerse siempre con criterios racionales y no dejándose llevar por las pasiones. A pesar de que tantos se quejen de su vida marital, decía Montaigne, es imposible prescindir de esta institución. Y concluía: «Con los matrimonios ocurre lo que con las jaulas: los pájaros que están fuera se desesperan por entrar y los que están dentro por salir».

De todas formas, Montaigne bromeaba también a costa del matrimonio haciendo suyo el dicho de que «un matrimonio perfecto sería el de una ciega con un sordo».

EL APEGO AL MÉTODO EXPERIMENTAL

A caballo entre los siglos XVI y XVII, Francis Bacon se propuso reformar el método científico y la sociedad de su época. Bacon criticó y clasificó los distintos tipos de prejuicios por los que se deja arrastrar habitualmente nuestra mente. También propuso sustituir el método aristotélico que, según él, no hacía suficiente justicia a los datos de la experiencia, por otro método más apegado a ella, el método experimental. Esto le llevó a polemizar con el gremio de los metafísicos, de quienes dijo que se parecían a las estrellas en que «dan poca luz por estar demasiado altos».

Pero su afición al método experimental también le llevó a la muerte, pues quiso comprobar por sí mismo la verdad de una hipótesis recién formulada por él, según la cual la nieve podía servir para conservar la carne. Bacon hizo el experimento con una gallina a la que vaciaron de sus entrañas y rellenaron de nieve. Pero cogió un fuerte resfriado mientras realizaba el experimento y murió como consecuencia de ello.

Francis Bacon (1561-1626)

TOCINO DE CERDO

Siendo Bacon lord canciller tuvo que atender la petición de un acusado que solicitó piedad apelando a la familiaridad nominal que les unía, pues el acusado se apellidaba Hogg (en español: puerco) y el canciller Bacon (en español: tocino).

—Hogg le debe ser familiar a Bacon —reclamó el reo.

Y Bacon sentenció:

—No hasta que Hogg haya sido colgado.

DE LA DUDA METÓDICA AL VATICANO

Descartes se propuso dudar de todo aquello de lo que fuera posible dudar con la intención de encontrar una verdad que fuera incuestionable. Y así, advirtió que era posible dudar de la existencia de un mundo exterior a nuestros pensamientos e incluso de las verdades matemáticas. Pero también llegó a la conclusión de que por muy exhaustiva y metódica que sea nuestra duda nunca podremos dudar de que estamos dudando. Puestos a dudar, por tanto, podemos dudar de todo, menos de la propia duda.

Como dudar es una forma de pensar, Descartes afirmó aquello de «Pienso, luego existo». Y a partir de esta primera evidencia, creyó que podía demostrar la existencia de Dios, de donde deducía luego la existencia del mundo extramental. Con ello, Dios se convierte para Descartes en el garante de nuestro conocimiento del mundo.

No es extraño que Borges sentenciara a propósito de esto: «Yo creo que el rigor de Descartes es aparente o ficticio. Y eso se nota en el hecho de que parte de un pensamiento riguroso y al final llega a algo tan extraordinario como la fe católica. Parte del rigor y llega... al Vaticano».

René Descartes (1596-1650)

El filósofo enmascarado

Descartes ha sido llamado «el filósofo enmascarado» porque tanto su vida como su obra estuvieron envueltas en disfraces. Él mismo escribió: «De igual manera que los comediantes llamados a escena se ponen una máscara, para que nadie vea el pudor reflejado en su rostro, así yo, a punto de entrar en este teatro del mundo del que hasta ahora sólo he sido espectador, avanzo enmascarado».

Muchas de las precauciones que Descartes tomó a la hora de presentar en sociedad sus descubrimientos tenían que ver con el miedo a ser objeto de la persecución eclesiástica. Así, en 1633, cuando supo que Galileo había sido condenado por la Inquisición, decidió paralizar la publicación de su obra. Según cuenta W. Weischedel, llegó a escribirle una carta a un amigo en la que le decía: «El mundo no conocerá mi obra antes de que pasen cien años de mi muerte». A lo que el amigo respondió en broma que, puesto que la humanidad no podía privarse durante tanto tiempo del acceso a los libros de semejante sabio, tal vez habría que ir pensando en matarlo cuanto antes.

Los relojes no tienen crías

En 1649 Descartes aceptó la invitación de la reina Cristina y se trasladó a Suecia para trabajar como tutor de la soberana. Como la reina se empeñaba en recibir sus lecciones de filosofía de madrugada (nada menos que a las cinco de la mañana), Descartes, que estaba acostumbrado a dormir hasta el mediodía, tuvo que cambiar sus hábitos de vida y en uno de esos madrugones enfermó y acabó muriendo de pulmonía a los cuatro meses de haber llegado a aquel «país de osos, rocas y hielo» (aunque, según otras fuentes, habría muerto envenenado por los luteranos, temerosos de la posible influencia de un filósofo católico sobre la soberana sueca). Pero antes de que eso ocurriera, la reina tuvo ocasión de demostrar su ingenio ante el sabio francés. Fue cuando Descartes le expuso su teoría mecanicista según la cual el universo es como una máquina en la que todos los cuerpos funcionan igual que relojes. Al oír esto, la reina objetó:

—Pues yo nunca he visto a un reloj dar a luz a bebés relojes.

LA CENA DE LOS IDIOTAS

Mucha gente asocia a los filósofos con gente frugal y más bien incapacitada para disfrutar de los placeres de la vida. Así debía de creerlo también el conde de Lamborn, quien se encontró en uno de los mejores mesones de París con Descartes, el más famoso de los filósofos del siglo XVII, quien, con gesto de satisfacción, estaba dando buena cuenta de un exquisito faisán. Al verlo, el conde se dirigió a Descartes con estas palabras:

—No sabía que los filósofos disfrutaran con cosas tan materiales como ésta.

Contrariado por la impertinencia y la intromisión, Descartes le replicó:

—¿Y qué pensabais, que Dios hizo estas delicias para que las comieran sólo los idiotas?

MÁS VOLUMEN QUE CAPACIDAD

Blaise Pascal fue uno de los principales científicos y filósofos del siglo XVII. En el orden filosófico destacó por su espiritualismo y su indagación de los límites de la razón. Suya es la idea de que «el corazón tiene razones que la razón no conoce». En el campo científico, hizo importantes descubrimientos en matemáticas, física, hidrodinámica e hidrostática.

Esta inquietud científica aparece reflejada en clave de humor en el juicio que enunció a propósito de cierto hombre que destacaba por su tamaño y gordura tanto como por su escasez de luces:

—Eso demuestra —dijo— que un cuerpo puede tener mucho más volumen que capacidad.

La apuesta de Pascal

Pascal propuso un argumento para creer en Dios que tiene forma de apuesta. ¿Qué es mejor para nuestra vida, creer en Dios o no creer? Si uno decide creer y resulta que efectivamente Dios existe, entonces gana la salvación, la vida eterna en el cielo, mientras que si Dios no existe, no ha perdido nada creyendo en su existencia. Ahora bien, si uno no cree en Dios y resulta que Dios no existe, entonces no pierde nada, pero si Dios existe pierde la salvación y sufre el castigo del infierno. Por lo tanto, concluía Pascal, es más útil, a todas luces, creer en Dios que no creer en él.

Pero dudo mucho de que esta fe calculada fuera recompensada por Dios. Es más, yo apostaría a que la apuesta de Pascal no le haría a Dios ninguna gracia.

El sexo de los fantasmas

En su *Tratado teológico-político* Spinoza llevó a cabo una crítica racionalista de la religión, depurándola de todo aquello que en ella había de superstición. Hugo Boxel, antiguo ministro de Gorinchen, debió de leer el libro y escribió una carta a Spinoza en la que confesaba su fe en la existencia de los fantasmas y aseguraba estar convencido de que todos eran de sexo masculino. Esto último lo deducía del hecho de que los espectros no tenían necesidad de engendrar. En el breve intercambio epistolar entre ambos, Spinoza expuso que no había ninguna evidencia que justificase la hipótesis de la existencia de los fantasmas y que sólo podía ser fruto de la imaginación. En cuanto a la conjetura de que todos los fantasmas eran de sexo masculino, ironizó diciendo que no hacía falta deducirlo de ninguna otra hipótesis, sino que bastaba con que aquellos que afirmaban ver espectros echaran una mirada a sus genitales por debajo de la sábana.

EL TEÓLOGO OPTIMISTA

Spinoza había sostenido que el mundo existe por necesidad. Leibniz, sin embargo, afirmará que nuestro mundo no es necesario, sino uno de los muchos mundos posibles concebidos por Dios. ¿Pero por qué existe entonces este mundo y no otro? Según Leibniz, en el momento de la creación Dios eligió el mejor de entre todos los mundos posibles. Por eso nuestro mundo no es perfecto, pero sí es el mejor universo posible. Con ello, Leibniz intentaba justificar la existencia del mal en el mundo (este optimismo sería parodiado unos años después por Voltaire en su célebre *Cándido*, un relato en el que uno de los protagonistas, Pangloss, intenta explicar todos los sufrimientos que él y sus compañeros de infortunios padecen apelando a los principios filosóficos de Leibniz. Pero, en medio de tanta desventura, la lección de Pangloss no resulta muy convincente. Si éste es el mejor de los mundos posibles —viene a decir Voltaire—, ¡cómo serán los otros!).

Esta teoría de Leibniz recuerda a una leyenda popular que circula por Europa. En ella se cuenta que un teólogo ensalzaba desde el púlpito las bondades de la obra de Dios y que, al acabar su sermón, un jorobado se acercó a él y le dijo:

—Si Dios lo hace todo tan bien como usted dice, ¿cómo se explica lo mío? —y, al decir esto, el hombre arrimó ostensiblemente su joroba al teólogo.

El teólogo, que debía de conocer la teoría de Leibniz, respondió:

—¿De qué se queja, buen hombre? Si está usted muy bien... para ser un jorobado.

UNA PATADA CONTRA EL IDEALISMO

Descartes y Locke, tan opuestos en sus teorías, coincidían sin embargo en afirmar que todo lo que conocemos son ideas (aunque Descartes pensaba que los humanos tenemos ciertas ideas innatas y Locke decía que todas procedían de la experiencia). Berkeley estará de acuerdo en esto con ellos, pero concluirá que, si todo lo que conocemos son ideas, no podemos demostrar que exista una realidad exterior a nuestras ideas. Nuestro conocimiento se limita, pues, a las ideas percibidas en el alma y no tenemos derecho a suponer la existencia de otras realidades fuera de ella. Sólo existen por tanto las cualidades percibidas y los sujetos que las perciben.

A este respecto, ya en el siglo XX, el filósofo británico Georges Edward Moore, defensor del realismo y del sentido común, afirmaba con algo de sarcasmo que para demostrar la existencia del mundo exterior bastaba con extender las manos hacia fuera.

Voltaire (1694-1778)

Con menos miramientos anduvo, en el siglo XVIII, Samuel Johnson, quien le arreó un día una patada a una piedra mientras voceaba:

—Así demuestro yo la existencia del mundo exterior.

IDEAS FECUNDAS

Voltaire parodió el idealismo de Berkeley afirmando que de él se deducía que cuando un hombre fecunda a una mujer tan sólo se trata de una idea alojándose en el interior de otra idea, de resultas de lo cual nace una tercera idea.

EL EMPIRISTA Y LAS OVEJAS

En el siglo XVIII, David Hume defendió el empirismo radical (la doctrina que afirma que sólo es fiable la información que nos llega a través de los sentidos), pero propuso corregirlo en la vida ordinaria con una buena dosis de sentido común, lo cual, a buen seguro, le evitó hacer el ridículo en más de una ocasión, a diferencia del protagonista del siguiente chiste, ya clásico:

Un empirista visitaba una granja en compañía de unos amigos, cuando uno de ellos, al ver un rebaño de ovejas sin lana, comentó:

—Se ve que las ovejas están recién esquiladas.

Y el empirista, fiel a sus principios metodológicos, puntualizó:

—De este lado parece que sí.

Ordeñar al toro

Cuenta James Boswell que Samuel Johnson no tenía un buen concepto de los filósofos renovadores como Hume. De ellos decía que eran incapaces de extraer más leche de la vaca de la verdad y que por eso habían decidido ordeñar al toro.

Un documento innecesario

Montesquieu fue uno de los grandes filósofos de la Ilustración. Autor de las célebres *Cartas persas* en las que se burlaba de la sociedad francesa de principios del siglo XVIII, que a él le tocó vivir. Criticaba sobre todo el absolutismo estatal y la intolerancia religiosa. De Luis XIV, el monarca francés, decía que era un mago que podía conseguir que las gentes se mataran unas a otras sin motivo alguno; y del papa Clemente XI decía que era un segundo mago, capaz de hacer «creer a la gente que tres es lo mismo que uno, y que el pan que se come no es pan».

Esto no fue obstáculo, sin embargo, para que unos años más tarde se ganara el favor del papa Benedicto XIV, quien arropaba bajo su mecenazgo a ciertos artistas y escritores. El caso es que, tras conocer personalmente a Montesquieu, el papa decidió ofrecerle una bula por la cual tanto él como su familia quedaban dispensados de obedecer la Cuaresma durante el resto de sus vidas. Pero para ello había que cumplir un pequeño trámite mediante el que se expedía el documento oportuno a cambio de abonar una buena suma de dinero en concepto de derechos. Esto es algo que Montesquieu desconocía y no se percató de ello hasta que, al ir a solicitar el documento, el funcionario de turno le informó. Montesquieu entonces dio marcha atrás haciendo gala de su ingenio:

—Pensándolo bien —le dijo al funcionario— no necesito el documento. Seguro que la palabra del papa es suficiente para dispensarme ante Dios.

Rousseau a cuatro patas

Rousseau imaginó al hombre natural con los rasgos del buen salvaje, del hombre primitivo que había sido ya idealizado por algunos viajeros y ensayistas a partir del siglo XVI. Basándose en ese modelo, el hombre natural que imagina Rousseau es un ser libre y sin deseos de perjudicar al prójimo; un ser que busca satisfacer sus necesidades naturales, pero no esas falsas necesidades creadas por la sociedad; un ser que todavía no tiene egoísmo ni afán de lucro. Además, en ese estado natural no habría existido propiedad privada y, por tanto, no habría ricos ni pobres.

Rousseau pensaba que la historia humana no es un proceso progresivo sino degenerativo («Todo sale bien de las manos del creador, todo degenera en las de los hombres», escribió en su libro *Emilio*). Ésta era una de las muchas cosas que separaban a Rousseau de los otros filósofos de la Ilustración (quienes asumían una visión progresista de la historia) y que provocó las burlas de Voltaire cuando, tras leer uno de los libros de Rousseau, escribió: «Le entran a uno ganas de andar a cuatro patas».

Un suicida escrupuloso

Rousseau tenía un temperamento delicado. Neurótico, narcisista, hipocondríaco, masoquista, padecía además intensos ataques de manía persecutoria. Autor de una de las obras más ambiciosas sobre la educación de los niños (su ya citado

Jean-Jacques Rousseau (1712-1778)

Emilio), se sintió sin embargo incapaz de ocuparse de la educación de sus propios hijos, entregando los cinco que nacieron de su relación con Thérèse Lavasseur a los orfanatos públicos. Por si fuera poco, sufría depresiones que lo llevaban a pensar a menudo en el suicidio. A este respecto, cuenta Diderot que un día fue a visitarlo a su casa de Montmorency y Rousseau le confesó, frente al estanque, que había estado tentado de arrojarse a él para acabar con su vida.

—¿Y por qué no lo hiciste? —le preguntó Diderot a bocajarro.

Rousseau, sorprendido por la falta de tacto de su amigo, le respondió:

—Porque metí la mano en el agua y me pareció demasiado fría.

UNA ENCUADERNACIÓN EN PIEL

La obra de Rousseau ejerció una decisiva influencia en algunos de los protagonistas de la Revolución francesa. Tanto es así, que, según Alasdair MacIntyre, «circula el relato —posiblemente apócrifo— de que Thomas Carlyle cenaba en una ocasión con un hombre de negocios, que se cansó de la locuacidad de Carlyle y se dirigió a él para reprocharle: "¡Ideas, señor Carlyle, nada más que ideas!". A lo que Carlyle replicó: "Hubo una vez un hombre llamado Rousseau que escribió un libro que no contenía nada más que ideas. La segunda edición fue encuadernada con la piel de los que se rieron de la primera"».

ALOJADO EN LA BASTILLA

El más famoso de los filósofos de la Ilustración se llamaba François-Marie Arouet y publicó su obra con el seudónimo de Voltaire. Autor de lúcidos ensayos y sátiras incisivas contra la tiranía, su sarcasmo se convirtió en el arma más decisiva contra sus enemigos. Cuando murió Luis XIV, y el Regente de Francia, el Duque de Orleans, vendió la mitad de los caballos de las cuadras reales para sanear la economía de la corte, Voltaire escribió un panfleto (o, al menos, a él se le atribuyó el escrito) diciendo que más le hubiera valido expulsar a la mitad de los asnos que pacían en la corte real. Como consecuencia de uno de estos panfletos, Voltaire fue encerrado en la Bastilla. Después de un tiempo, el Regente le perdonó e incluso le dio un dinero. Voltaire lo aceptó con una condición:

—Majestad —dijo—, os agradezco que os ocupéis de mi manutención, pero os suplico que de ahora en adelante no os ocupéis más de mi alojamiento.

UNA ADMIRACIÓN NO CORRESPONDIDA

Voltaire tenía en gran estima la obra del médico, fisiólogo y poeta suizo Albrecht von Haller, y no se cansaba de elogiar públicamente sus libros hasta que, en una ocasión, alguien le dijo:

—Pues creo que el tal Haller echa pestes de vos.

Voltaire no se arredró y, con su fino ingenio de costumbre, apostilló:

—Bueno, no hay que ser dogmáticos: es posible que tanto el señor Haller como yo estemos equivocados.

EL INGLÉS Y LOS DIENTES

Cuando James Boswell, que era escocés, se entrevistó con Voltaire, que era francés pero conocía bien el idioma inglés, la conversación empezó discurriendo en francés. Como Boswell le preguntara si había dejado de hablar inglés, Voltaire le respondió:

—Para hablar inglés hay que poner la lengua entre los dientes, y yo ya he perdido los dientes.

¡GOBIERNO AL AGUA!

En la misma entrevista, Voltaire, quien nunca ocultó sus simpatías por el régimen político inglés, aderezaba su anglofilia con su habitual dosis de humor: «Tienen ustedes —le dijo a Boswell— el mejor gobierno. Si se vuelve malo lo arrojan al océano; por eso el océano les rodea por todas partes».

EL GOBIERNO CONTRA LA RAZÓN

Otro de los enciclopedistas, Claude Helvétius, escribió un tratado filosófico titulado *Sobre el espíritu* donde asumía los presupuestos sensualistas y materialistas de Condillac. En virtud de ellos, Helvétius abogaba por la instauración de una sociedad libre de supersticiones y respetuosa con los derechos humanos, lo que según él conduciría a la felicidad del género humano.

Cuando Voltaire, que tuvo que pasar muchos años exiliado de su patria francesa (porque, como él mismo había escrito, «es peligroso tener razón cuando el gobierno está equivocado»), leyó el libro de Helvétius, le dijo:

—Su libro está inspirado por la razón más profunda. Por eso, debería usted huir de Francia tan pronto como sea posible.

Voltaire, que no sentía especial simpatía por la democracia, pues consideraba que las masas eran ante todo crueles y estúpidas, tampoco ahorró venablos contra la monarquía, a la que satirizó en esta versión abreviada de la fábula de Jotám:

«En cierta ocasión, hubo que escoger rey entre los árboles. El olivo no quiso abandonar el cuidado de su aceite, ni la higuera el de sus higos, ni la viña el de sus uvas, ni los otros árboles el de sus respectivos frutos; el cardo, que no servía para nada, se convirtió en rey, porque tenía espinas y podía hacer daño».

Los banqueros suizos

Los banqueros suizos ya eran famosos en el siglo XVIII. A propósito de ellos, se le atribuye a Voltaire haber hecho la siguiente recomendación: «Si alguna vez ve usted saltar a un banquero suizo por la ventana, salte detrás. Seguro que hay dinero que ganar».

La lengua de la serpiente

Voltaire y Federico II de Prusia intercambiaron a lo largo de su vida muchas ideas y también alguna que otra pulla. Cuando Voltaire dijo que el alemán era un idioma útil para la guerra, pero carente de la hermosura que tenía el francés, Federico II le replicó que el francés era un idioma tan propicio para las mentiras que él estaba convencido de que debió de ser el idioma que hablaba la serpiente cuando engañó a Eva.

Un texto escandaloso

Nicholas de Chamfort, moralista francés del siglo XVIII y autor de penetrantes aforismos, coleccionaba anécdotas chispeantes que luego nos ha transmitido, como aquella en la que alguien elogiaba mucho cierta edición de la Biblia ante el abate Terrasson. Y éste comentó:

—Sí, el escándalo del texto se conserva en toda su pureza.

El diluvio universal

El pesimismo sobre la condición humana proyecta una imagen fatalista de la maldad de los hombres en aquella otra sentencia que Chamfort atribuye a un misántropo cuyo nombre prefiere no revelar:

«Sólo la inutilidad del primer diluvio impide a Dios enviar un segundo diluvio».

El paseo del decapitado

La marquesa du Deffand, amiga de Voltaire y aficionada a la filosofía, cuyo salón de reuniones fue el más famoso de todos los que afloraron en el siglo XVIII, escuchaba un día al arzobispo de París, señor Polignac, hablar del milagro de san Dionisio. El arzobispo contaba que, cuando san Dionisio fue decapitado, el propio santo recogió su cabeza del suelo y echó a andar hasta el lugar donde hoy se levanta su iglesia.

—Y llegó hasta el final con la cabeza bajo el brazo —sentenció el arzobispo, enfatizando el hecho de que el santo aguantara todo el trayecto con la misma compostura.

La marquesa, una mujer ilustrada y poco amiga de las supersticiones, sacó su vena mordaz y dijo:

—No, si en estos casos lo más difícil es dar el primer paso.

EL SEXO DE LAS OPINIONES POLÍTICAS

La baronesa Madame de Staël fue una de las mujeres que más destacó entre los intelectuales franceses de finales del siglo XVIII y principios del XIX. Influenciada intelectualmente por Rousseau, pero también por Voltaire, no dejó nunca de exponer sus ideas a pesar de los tiempos aciagos en que le tocó vivir.

Enemiga acérrima de Napoleón, fue odiada y hostigada por éste. Los desencuentros empezaron antes de que él se convirtiera en emperador. Cuando todavía era sólo general, Madame de Staël, deslumbrada por el prestigio del militar, lo invitó a uno de los coloquios que organizaba en su salón. Allí, la baronesa expuso sus opiniones políticas y después preguntó a Napoleón si estaba de acuerdo con ella. Pero éste se limitó a decir:

—La verdad es que no he escuchado nada de lo que decíais. Sinceramente, no me parece bien que las mujeres opinen sobre política.

A lo que la baronesa repuso:

—Señor Bonaparte, vivimos en un país donde se nos guillotina por ideas políticas. ¿Y a vos os parece mal que las mujeres queramos saber por qué nos cortan la cabeza?

MÁS TONTOS QUE CIEGOS

Cuando le preguntaron a Madame de Staël cómo se explicaba que las mujeres guapas tuvieran más éxito entre los hombres que las mujeres inteligentes, ella respondió:

—Porque hay pocos hombres ciegos, pero muchos hombres tontos.

EL RIESGO DE CONSULTARLO TODO CON LA ALMOHADA

Lichtenberg fue uno de los pensadores de la Ilustración más estimados por Kant. También Goethe (quien dijo, no sin cierta exageración, que «cualquiera de sus bromas esconde en realidad un problema filosófico»), Schopenhauer y Nietzsche elogiaron sus aforismos, algunos de los cuales rezuman humor, a veces un humor negro, como supo ver André Breton. Valga como ejemplo esta muestra:

«Hay personas que no saben tomar ninguna decisión sin consultar antes con la almohada. Eso está bien; pero hay casos en que se corre el riesgo de ser hecho prisionero, con la ropa de cama y todo».

EL IMPERATIVO CATEGÓRICO Y LA GUERRA DEL 14

Kant, el filósofo más importante del período moderno (y para muchos, el más importante de toda la historia de la filosofía), dejó una huella notoria en la cultura alemana. Su teoría del conocimiento, según la cual no podemos saber cómo es el mundo en sí, sino sólo cómo aparece para nosotros (pero teniendo en cuenta que el conocimiento humano tiene para todos los hombres las mismas características generales), seguía vigente en muchas universidades alemanas a principios del siglo XX.

También la ética kantiana dejó sentir su influjo en la cultura alemana, hasta el punto de que se estudiaba en las escuelas. Esta ética giraba en torno al imperativo categórico, es decir, al mandato incondicionado y universal que nos insta a comportarnos de determinada manera. Según Kant, así son

Immanuel Kant (1724-1804)

los mandatos propios de la moral y nunca pueden venir impuestos desde fuera de la propia razón (por tanto, tampoco pueden venir impuestos por las autoridades), con lo cual se subraya la autonomía del sujeto moral. Podría decirse que el imperativo categórico es algo así como la ley universalizable de nuestra conciencia. Kant da varias formulaciones del imperativo categórico. Una de ellas dice: «Actúa de tal modo que puedas querer que la máxima que guía tu acción pueda convertirse en ley universal». Y otra formulación dice así: «Trata siempre a los hombres como fines en sí mismos y nunca como medios o instrumentos para conseguir otras cosas».

Como se ve, poco tiene que ver el imperativo categórico con la obediencia obligada a las órdenes de los superiores que domina en las filas de los ejércitos. Por si esto fuera poco, Kant rechaza explícitamente en algunos textos el recurso a la guerra. Sin embargo, el káiser Guillermo II declaró durante la primera guerra mundial que en buena parte debían sus victorias «a los bienes morales y espirituales legados por el gran sabio de Königsberg a nuestro pueblo».

Todo ello dio pie a que el escritor austríaco Karl Kraus apostillara en uno de sus artículos, con su habitual sarcasmo: «Declaro que no he previsto las órdenes "Firmes", "Marchen", "Duro con ellos" y "Resistid a pie firme" como ejemplos de mi imperativo categórico. Firmado: Kant».

El escrúpulo

Según Kant, las acciones morales son aquellas que realizamos sólo por respeto al deber (por obediencia a la ley que nos dicta nuestra conciencia) y no por una especie de simpatía hacia el prójimo o cualquier otro tipo de inclinación natural. Este rigorismo fue parodiado por uno de los grandes poetas alemanes del siglo XVIII, Friedrich Schiller (también filósofo y discípulo de Kant) en un poemilla satírico titulado *El escrúpulo*:

> *Con gusto ayudo a mis amigos,*
> *mas que haya gusto no le gusta*
> *al gusano de mi conciencia*
> *y por eso se me disgusta.*

LA SOLTERÍA DE KANT

Kant procedía de una familia humilde y durante su juventud pasó bastantes penurias económicas. Sólo cuando consiguió un puesto de profesor en la Universidad de Königsberg pudo empezar a vivir más desahogadamente. Por otra parte, vivió toda su vida soltero y de ahí que, cuando le preguntaban cómo es que no se había casado nunca, Kant respondía medio en broma:

—Cuando pude haber disfrutado del matrimonio no estaba en condiciones de permitírmelo, y cuando pude permitírmelo no estaba ya en condiciones de disfrutarlo.

LAS MUJERES NO VAN AL CIELO

Aunque Kant trató siempre con suma delicadeza y cortesía a las mujeres, lo cierto es que en sus opiniones dejaba traslucir a veces una cierta misoginia teñida de humor. Así, le gustaba provocar a las damas diciéndoles que se podía demostrar, siguiendo el texto de la Biblia, que las mujeres no van al cielo, pues, según cuenta un pasaje del Apocalipsis de san Juan, el cielo llegó a quedarse en silencio durante media hora. Sin embargo, bromeaba Kant, tal cosa habría resultado imposible de haber habido allí alguna mujer.

La puntualidad de Kant

Kant era un hombre muy metódico. Se levantaba, comía y se acostaba todos los días a la misma hora. E igual de puntual era su paseo vespertino, a las cinco de la tarde, ni un minuto más ni un minuto menos (sólo la lectura del *Emilio* de Rousseau le hizo olvidarse de su paseo diario durante algunos días). Tanto es así que, aunque un poco en broma, se decía que sus paseos les servían a los vecinos para poner en hora sus relojes.

Una filosofía del yo-yo

Según la filosofía idealista defendida por Fichte, «el yo es la fuente de toda realidad» y, aunque Fichte no niega la existencia del mundo exterior, afirma que el mundo no es nada si lo separamos del yo que lo experimenta.

Pero el yo previo a toda experiencia del que habla Fichte no es exactamente lo mismo que el yo psicológico de cada uno. Sin embargo, es fácil caer en la tentación de identificarlos. En ese caso, la filosofía de Fichte se presta a ser objeto de bromas como ésta de Matthew Stewart: «Cuenta la historia que algunos, al escuchar la afirmación de Fichte según la cual el mundo era su propia creación, se preguntaron: "¿Qué piensa su mujer al respecto?"».

Teoría del conocimiento

Los libros sobre teoría del conocimiento suelen ser especialmente aburridos y farragosos. Algunos de los más importantes son la *Crítica de la razón pura* de Kant y el *Ensayo sobre el entendimiento humano* de Locke. De ellos se burlaba Ambrose Bierce en su *Diccionario del diablo* al definir nuestra facultad de entendimiento de esta manera: «Secreción cerebral que permite a quien la posee distinguir una casa de un caballo, gracias al tejado de la casa. Su carácter y sus leyes fueron expuestos exhaustivamente por Locke, que montó una casa, y por Kant, que vivió en un caballo».

Religión canina

Friedrich Schleiermacher fue un fiel exponente del talante religioso propio del primer romanticismo alemán. Influido por la filosofía kantiana, se apartó, sin embargo, de ella en importantes aspectos.

Radicalmente opuesto al racionalismo, que pretendía reducir la religión a la razón, Schleiermacher afirmó que la religión se basa en el sentimiento de dependencia que los hombres experimentan ante algo superior a ellos, ante el infinito. De lo cual se burlaba Hegel diciendo:

—Si la religión se basara en el sentimiento de dependencia ante algo superior, los perros serían los seres más religiosos del mundo.

Cuando todos los gatos son pardos

F. W. J. Schelling fue, junto con Hegel y Fichte, uno de los mayores exponentes del idealismo alemán. Aunque en su juventud Hegel y él fueron amigos, acabarían distanciándose, sobre todo por la distinta manera que tenían de entender lo Absoluto. Para Schelling lo Absoluto consistía en una identidad primigenia anterior a todas las diferenciaciones. Hegel parodió esta filosofía de la identidad diciendo que le recordaba a «la noche en la que todas las vacas son negras», o, como diríamos nosotros: de noche, todos los gatos son pardos.

¿CÓMO REFUTAR A UNA AMETRALLADORA?

La filosofía de Hegel es un idealismo dialéctico que reivindica el poder de las contradicciones a la hora de avanzar en nuestro pensamiento. Pero Hegel era un idealista absoluto y afirmaba que todo es pensamiento y que por tanto también la realidad se desarrolla y progresa gracias a las contradicciones del pensamiento. Con esto, Hegel se saltaba a la torera la distancia entre el pensamiento y la realidad. Sin embargo, como advierte H. J. Störig, citando a E. Junger, una proposición puede ser refutada, pero una ametralladora no.

Tal vez también por eso decía José Bergamín: «De una contradicción se sale gananciosos. De una contracción se sale contrahecho».

BURLA DE LA TRANSUSTANCIACIÓN

Hegel, que simpatizaba con el protestantismo, arremetía a veces furibundamente contra el catolicismo. Cuenta Rüdiger Safranski que un día Hegel llegó a contar en clase un chiste que debió de sonar a sacrilegio ante ciertos oídos: según la doctrina de la transustanciación, el pan y el vino consagrados se convierten en la carne y la sangre de Cristo. Parodiando esta doctrina, contó Hegel que si un ratón se come una hostia de pan consagrado ha tomado el cuerpo del Señor y, por tanto, también debe ser adorado.

La dificultad para entender el pensamiento de Hegel es proverbial. En el Prólogo a la *Fenomenología del Espíritu* escribió, entre otras cosas igual o más difíciles de entender: «Sólo lo espiritual es lo real; es la esencia o el ser en sí lo que se mantiene y lo determinado —el ser otro y el ser para sí— y lo que permanece en sí mismo en esta determinabilidad o en su ser fuera de sí o es en y para sí. Pero este ser en y para sí es primeramente para nosotros o en sí, es la sustancia espiritual».

Para mí, sin comentarios; para sí, no sé.

De la supuesta sabiduría de Hegel dijo Schopenhauer que no era más que una payasada filosófica, un galimatías repugnante, un oscuro encadenamiento de insensateces y disparates que a menudo recuerda a los delirios de los enajenados. En su *Parerga y Paralipomena* escribió:

«Si se quiere embrutecer adrede a un joven y hacerle incapaz de toda idea, no hay medio más eficaz que el asiduo estudio de las obras originales de Hegel; porque esa monstruosa acumulación de palabras que chocan y se contradicen de manera que el espíritu se atormenta inútilmente en pensar algo al leerlas, hasta que cansado decae, aniquilan en él paulatinamente la facultad de pensar tan radicalmente, que desde entonces tienen para él el valor de pensamientos las flores retóricas insulsas y vacías de sentido [...]. Si alguna vez un preceptor temiera que su pupilo se hiciera demasiado listo para sus planes, podría evitar esa desgracia con el estudio asiduo de la filosofía de Hegel».

Como decía Schelling (él mismo, por cierto, bastante oscuro) a propósito de la oscuridad reinante en la filosofía de su época: «En filosofía, el grado en que uno se apartaba de lo inteligible casi se convirtió en la medida de su maestría». Lo gracioso de estos filósofos, decía Heine, es que encima se quejan de no ser comprendidos. Según se cuenta, las últimas palabras de Hegel fueron:

—Hubo uno que me entendió y ni siquiera ése me entendió.

Pero hay una parodia de esta leyenda, que parece aludir a Marx (pues Marx asumió la dialéctica hegeliana, pero dándole un rumbo materialista que Hegel nunca habría aprobado), según la cual las palabras de Hegel deberían haber sido estas otras:

—Hubo uno que me entendió y a ése no lo entendí yo.

FILOSOFÍA CONTEMPORÁNEA

LA CONJURA DE LOS NECIOS

La sospecha de que el mundo que conocemos y que consideramos real no es sino una especie de ensueño fue una creencia muy arraigada en la antigua sabiduría india. A ese mundo visible y que creemos conocer, los textos *Vedas* lo llamaban «velo de Maya», queriendo decir con ello que este mundo no es sino pura ilusión, un espejismo producido por el deseo. Según esta tradición, el verdadero mundo sería el mundo oculto, el mundo invisible que se esconde tras este mundo aparente.

Esta idea fue asumida en la filosofía occidental con especial énfasis por Arthur Schopenhauer, quien sostuvo que la realidad, tal y como aparece ante nosotros, no es la auténtica realidad en sí, sino una simple representación que se produce en nuestra mente, un velo que cubre nuestros ojos y nos hace ver espejismos.

Ahora bien, ¿qué hay más allá de este mundo ilusorio de las representaciones? ¿En qué consiste la realidad en sí? Kant, maestro de Schopenhauer, dejó dicho que no podemos saber cómo es el mundo más allá de nuestras representaciones, que ese mundo en sí es incognoscible. Sin embargo, Schopenhauer estaba convencido de que la esencia del mundo, lo que el mundo es más allá de nuestras representaciones, no es otra cosa que ciega voluntad, impulso incesante, fuerza irracional. De ahí que la principal obra de Schopenhauer se titule *El mundo como voluntad y representación*. En cuanto representación, el mundo aparece poblado por multitud de seres individuales; en cuanto voluntad (y éste es el auténtico mundo, según Schopenhauer), el mundo es sólo uno, pues la voluntad es la misma aunque se manifieste con diferentes formas y ropajes ante nosotros.

Schopenhauer publicó *El mundo como voluntad y representación* a los treinta años y estaba convencido de haber escrito uno de los libros fundamentales de la historia de la filosofía. Como la acogida del libro no pudo ser más fría y pasaron muchos años antes de que el libro alcanzara alguna repercusión (mientras que, por el contrario, su detestado Hegel era encumbrado a la cima de la filosofía), Schopenhauer justificaba su fracaso citando un aforismo de Lichtenberg: «Si chocan un libro y una cabeza, y suena a hueco, ¿es por culpa del libro?».

LA LUZ Y LOS ESCORPIONES

En los últimos años de su vida, sin embargo, Schopenhauer empezó a gozar de cierto reconocimiento intelectual. Incluso llegó a acercársele algún catedrático de filosofía, al que, por cierto, despachó de una manera más bien brusca, sugiriéndole que, tras haber sido iluminado por él, debería hacer lo mismo que hacen los escorpiones cuando ven la luz y no encuentran escape hacia la oscuridad: clavarse su propio aguijón envenenado.

Aquel profesor no debía de estar al tanto de la profunda aversión que Schopenhauer sentía hacia el gremio de los

Arthur Schopenhauer (1788-1860)

catedráticos. Tanta que llegó a decir que no temía ser pasto de los gusanos tras su muerte, pero sí que su obra espiritual fuera a ser destrozada por los catedráticos de filosofía.

CONTRA LA MONOGAMIA

Schopenhauer no tenía a la monogamia precisamente por una virtud, pues le parecía que era algo antinatural. «En la monogamia —escribió— el hombre tiene demasiado de una vez y demasiado poco a la larga; y la mujer al contrario.» Por lo tanto, concluía: «Los hombres son putañeros la mitad de sus vidas y cornudos la otra mitad».

LA CUÁDRUPLE RAÍZ

Schopenhauer publicó su tesis doctoral con el título de *La cuádruple raíz del principio de razón suficiente*. Cuando le enseñó el libro recién publicado a su madre, con quien mantenía unas tensas relaciones que después acabarían rompiéndose, ésta, que también era escritora, no perdió la ocasión de zaherirlo con motivo del título:

—Vaya, *La cuádruple raíz* —comentó—. ¿Qué es, un libro para boticarios?

SCHOPENHAUER Y EL JARDINERO

Como ya hemos dicho, Schopenhauer pensaba que la esencia del mundo es voluntad. Según él, esa voluntad está presente en todas las cosas del mundo (incluido, por supuesto, uno mismo) y nos habla a través de ellas, pero sólo en actitud contemplativa y absolutamente desinteresada estamos capacitados para escucharla. Esto vale tanto como decir que sólo podemos contemplar la voluntad cuando conseguimos olvidarnos de nosotros mismos, manteniéndonos por tanto liberados de cualquier apremio de nuestra propia voluntad. O, por decirlo de otra forma, para conocer el secreto del mundo es preciso traspasar los estrechos límites de uno mismo, y convertirse en algo así como el «ojo del mundo».

El propósito de esto, cuenta R. Safranski que, al final de un paseo por el invernadero de Dresde en el que Schopenhauer había permanecido absorto durante un buen rato en la contemplación de las plantas, como si éstas, con sus diversas formas y colores quisieran comunicarle su profundo mensaje, se le acercó, extrañado, el jardinero del lugar y le preguntó quién era. Y Schopenhauer le respondió:

—¿Quién soy yo? Ah, si usted pudiera decírmelo le quedaría muy agradecido.

AMISTAD PERRUNA

Schopenhauer tenía un carácter que lo hacía intratable. Discutía con casi todo el mundo y por tanto apenas tenía amigos. Pero esto no le preocupó especialmente. Es más, veía en la escasez de amigos un signo de superioridad: «Nada hay que delate menos conocimiento de los asuntos humanos —llegó a escribir— que argüir como prueba del mérito y la valía de un ser humano el que tenga muchos amigos: ¡como si los hombres entregasen su amistad en función del mérito y la valía! ¡Como si no se comportasen igual que los perros, los cuales aman al que los acaricia o les da mendrugos y ya no se preocupan de nada más! Tendrá más amigos el que mejor sepa acariciar, aunque se trate de la fiera más abominable».

141

El perro de Schopenhauer

Schopenhauer fue un misántropo incorregible durante toda su vida. Con la edad, se convirtió en un viejo gruñón y cascarrabias que se entendía mejor con su perro, *Butz*, que con los miembros de su propia especie. Lo trataba con más deferencia que a muchas personas y no era raro encontrarlo hablándole al perro como si éste pudiera entenderle. Claro que a veces también se enfadaba con él. Entonces lo increpaba con uno de los insultos que Schopenhauer imaginaba más humillantes: «¡Humano!».

La carcajada final

Sören Kierkegaard, quien ha sido considerado como el precursor del existencialismo por su reivindicación del carácter irreductible de la existencia individual, se interesó también por el análisis del humor y la ironía. Kierkegaard encontraba en el humor una cierta simpatía con la fragilidad, el dolor y el absurdo presentes en la existencia humana. Ese absurdo que nos acompañará hasta el último momento. En su *Diapsálmata* escribió: «Sucedió una vez en un teatro que se prendió fuego entre bastidores. El payaso acudió para avisar al público de lo que ocurría. Creyeron que se trataba de un chiste y aplaudieron; aquél lo repitió y ellos rieron aún con más fuerza. De igual modo pienso que el mundo se acabará con la carcajada general de amenos guasones creyendo que se trata de un chiste».

El regicidio fallido

Cuenta Louis Menand en su libro *El club de los metafísicos* que Oliver Wendell Holmes escribió un libro sobre

Platón en el que vertía algunas críticas a la filosofía del gran filósofo griego. Holmes quiso saber la opinión que el escrito le merecía a su admirado maestro Ralph Waldo Emerson, quien pronunció al respecto esta contundente sentencia:

—Cuando se dispara a un rey, hay que matarlo.

EL CAPITAL DE MARX

Karl Marx pasó buena parte de su vida investigando en la Biblioteca del Museo Británico. El objeto fundamental de su estudio no era otro que desentrañar las características de la sociedad capitalista. Finalmente, sus investigaciones culminaron en la publicación de la que se considera su principal obra: *El Capital*.

Pero con tanto investigar Marx desatendió el cuidado de otros aspectos más cotidianos de su vida. Él y su familia vivieron siempre en unas condiciones bastante humildes (su principal fuente de ingresos eran los artículos que escribía para algunos periódicos y la ayuda que recibía de su amigo y colaborador F. Engels). De ahí que, algún tiempo después de su muerte, su hija, Jenny Marx, comentara:

—Ojalá mi querido padre hubiera pasado algún tiempo adquiriendo capital en lugar de limitarse a escribir sobre él.

LA ESCRITURA DE DIOS

Nietzsche cuestionó todas las supuestas virtudes de la tradición cristiana, intentando desenmascarar los oscuros impulsos que se escondían detrás de ellas. De la castidad, por ejemplo, escribió que en algunos podía ser una virtud, pero «en muchos es casi un vicio».

Y en su libro *Más allá del bien y del mal* llegó incluso a burlarse del estilo literario de las Sagradas Escrituras:

«Es una fineza —escribió— que Dios aprendiese griego cuando quiso hacerse escritor, y que no lo aprendiese mejor».

EL MARTILLO DE NIETZSCHE

En su libro *Crepúsculo de los ídolos* (subtitulado *Cómo se filosofa con el martillo*), bajo el rótulo de «Mis imposibles», da cuenta Nietzsche de algunos de los filósofos y artistas que no soporta. Utilizando su fina ironía y su maestría en el uso del sarcasmo describe a Séneca como «el torero de la virtud»; a Rousseau como el peregrino que retorna «a la naturaleza en estado natural impuro»; a Schiller como «el trompetero moral de Säckingen»; a Dante como «la hiena que hace poesía en los sepulcros»; de Kant dice que es «el *cant* (la gazmoñería) como carácter inteligible»; de Liszt afirma que es maestro en la escuela de «la facilidad para correr (detrás de las mujeres)»; y a George Sand la despacha diciendo que es «la lactea ubertas», «la vaca lechera con un *estilo bello*».

UNA REFUTACIÓN POR LA CARA

La sabiduría de Sócrates fue legendaria. Pero no menos legendaria fue su fealdad. Al parecer era calvo y bajito, de ojos saltones, labios gruesos y amplias narices. Sus piernas torcidas le daban un aire tambaleante al andar.

Pues bien, dado que la cultura griega exaltó como ninguna otra el ideal de belleza, ser feo entre los griegos debió de ser, según Nietzsche, más que una objeción: casi una refutación.

Friedrich Nietzsche (1844-1900)

Sin embargo, nada de esto le impidió a Sócrates tener muchos admiradores entre los jovencitos más apuestos de la ciudad. Nietzsche dirá que Sócrates encontró la manera de compensar su fealdad gracias a la dialéctica (el arte de la discusión), y así, demostrando su superioridad en el terreno de lo racional, obtenía un poder de seducción que no habría conseguido de otra manera. Según Nietzsche, al reprimir los instintos y otorgar a la razón un valor superior a todas las cosas, comienza la decadencia de la filosofía y de la civilización occidental.

Remitiéndose a Cicerón, cuenta Nietzsche que «un extranjero que entendía de rostros, pasando por Atenas, le dijo a Sócrates a la cara que era un *monstrum*, que escondía en su interior todos los vicios y apetitos malos. Y Sócrates se limitó a responder:

—¡Usted me conoce, señor mío!

ANTI-DARWIN

Nietzsche sentía un cierto aprecio por los animales (de hecho, sus libros están llenos de referencias simbólicas a los animales), casi tanto como desprecio sentía por la mayoría de los hombres, especialmente por sus contemporáneos. Sabemos que unos días antes de perder la razón se abrazó, llorando, al cuello de un caballo de tiro que estaba siendo azotado por un cochero inmisericorde. No es extraño por tanto que, en uno de sus aforismos, sentenciara, contra la teoría de Darwin:

«Los monos son demasiado buenos para que el hombre pueda descender de ellos».

Desde que Nietzsche vislumbró la idea del eterno retorno («a seis mil pies por encima del mar y mucho más por encima de todas las cosas humanas», según él mismo anotó en su cuaderno), este pensamiento se convirtió en algo fundamental para él. En uno de los aforismos de *La gaya ciencia*, la teoría del eterno retorno aparece gráficamente expresada de este modo: «Esta vida, tal como ahora la vives y la has vivido, tendrás que vivirla otra vez y otras innumerables veces, y no habrá nunca nada nuevo en ella; al contrario, cada dolor y cada placer, cada pensamiento y cada suspiro, todo lo infinitamente grande y lo infinitamente pequeño de tu vida volverá a ti, y todo en la misma secuencia y sucesión; incluso esa araña y ese rayo de luna entre las ramas, incluso este instante».

Sin embargo, Nietzsche formuló también lo que para él era una *seria* objeción a la teoría del eterno retorno: la horrible idea de que tendría que soportar eternamente a su hermana y a su madre.

EL PRAGMATICISMO

Charles Peirce fue el creador del pragmatismo, corriente filosófica según la cual la base del conocimiento humano se encuentra en el mundo de la praxis, de la acción, y por tanto el significado de las cosas se reduce a ser una regla de acción para el hombre.

Pero el pragmatismo alcanzó fama gracias a los escritos de William James, debido a lo cual casi todo el mundo asociaba el pragmatismo con el nombre de William James. Sin embargo, Peirce, aunque era buen amigo de James, no compartía del todo la orientación que éste había imprimido al pragmatismo, por lo cual decidió darle un nuevo nombre a su pensamiento. En vez de pragmatismo, lo llamó pragmaticismo, aduciendo que esta vez el término le parecía lo suficientemente feo como para que nadie más quisiera apropiárselo.

¿CERDOS O JABALÍES?

Cuenta Luis Carandell que una frase pronunciada por José Ortega y Gasset en las Cortes de 1931 sirvió para bautizar a un grupo de diputados como «los jabalíes». La frase en cuestión decía: «No hemos venido aquí para hacer el payaso, el tenor ni el jabalí». A partir de entonces, cinco diputados especialmente folloneros, que a menudo interrumpían las sesiones con sus escandalosas protestas y pataleos, recibieron el apodo de «los jabalíes». Y hasta ellos mismos presumían de su apodo.

Un día fueron en grupo a saludar a Miguel de Unamuno, quien también era diputado, y se presentaron ante él diciéndole:

—Don Miguel, habrá oído hablar usted ya de nosotros: somos los jabalíes.

—Imposible —rezongó Unamuno, a quien aquellos diputados no debieron de causar una grata impresión—. Los jabalíes van siempre solos o en pareja. Los que sí van en piara son los cerdos.

UNA CONDECORACIÓN MERECIDA

La franqueza, a la par que la arrogancia, de Unamuno eran legendarias. Cuando el rey Alfonso XIII lo condecoró con la Gran Cruz de Alfonso XII, el escritor mostró su satisfacción diciendo:

—Es para mí un honor recibir esta condecoración que tan merecidamente se me otorga.

Al oír esto, el rey no pudo ocultar su sorpresa, pues estaba acostumbrado a oír palabras de humildad por parte de los condecorados.

—¡Caramba —le dijo el rey—, es usted el primero que me dice eso! Hasta ahora todos los homenajeados me habían dicho que ellos no se merecían tal honor.

Unamuno apostilló:

—Y probablemente no les faltaba razón.

UN EJERCICIO DE MISANTROPÍA

Juan de Mairena es uno de los apócrifos más entrañables de la literatura. Profesor de retórica y gimnasia, este filósofo inventado por Antonio Machado salpicaba sus clases con buenas dosis de humor, como muestra la anécdota que a continuación se relata:

«Cuenta Juan de Mairena que uno de sus discípulos le dio a leer un artículo cuyo tema era la inconveniencia e inanidad de los banquetes. El artículo estaba dividido en cuatro panes: A) Contra aquellos que aceptan banquetes en su honor; B) Contra los que declinan el honor de los banquetes; C) Contra los que asisten a los banquetes celebrados en honor de alguien; D) Contra los que no asisten a los tales banquetes. Censuraba agriamente a los primeros por fatuos y engreídos; a los segundos acusaba de hipócritas y falsos modestos; a los terceros, de parásitos del honor ajeno; a los últimos de roezancajos y envidiosos del mérito.

Mairena celebró el ingenio satírico de su discípulo.

—¿De veras le parece a usted bien, maestro?

—De veras. ¿Y cómo va a titular usted ese trabajo?

—Contra los banquetes.

—Yo lo titularía mejor: Contra el género humano, con motivo de los banquetes».

LA VIDA ES UNA EVIDENCIA, LA MUERTE NO

Juan de Mairena decía que la muerte es una idea a priori, pues nadie tiene experiencia de su propia muerte y, aun así, todo el mundo está convencido de que un día morirá. Sin embargo, la vida, decía Mairena, es «un objeto de conciencia inmediata, una turbia evidencia. Lo que explica el optimismo del irlandés del cuento, quien, lanzado al espacio desde la altura de un quinto piso, se iba diciendo, en su fácil y acelerado descenso hacia las losas de la calle, por el camino más breve: *Hasta ahora voy bien*».

EL PASTELERO DE DIOS

Algunos filósofos como William James defendían la conveniencia de creer en Dios, aunque sólo fuera por motivos puramente pragmáticos, pues la creencia en él nos hace sentirnos más fuertes y con más ganas de vivir.

Pero Juan de Mairena nos dejó una simpática parodia de los argumentos de tipo pragmático para creer en Dios:

«—Oiga usted, amigo Tortólez, lo que (mi maestro) contaba de un confitero andaluz muy descreído a quien quiso convertir un filósofo pragmatista a la religión de sus mayores.

—De los mayores ¿de quién, amigo Mairena? Porque ese "sus" es algo anfibológico.

—De los mayores del filósofo pragmatista, probablemente. Pero escuche usted lo que decía el filósofo. "Si usted creyera en Dios, en un Juez Supremo que había de pedirle a usted cuentas de sus actos, haría usted unos confites mucho mejores que esos que usted vende, los daría usted más baratos, y ganaría usted mucho dinero, porque aumentaría usted considerablemente su clientela. Le conviene a usted creer en Dios." "¿Pero Dios existe, señor doctor?", preguntó el confitero. "Eso es cuestión baladí —replicó el filósofo—. Lo importante es que usted crea en Dios." "Pero ¿y si no puedo?", volvió a preguntar el confitero. "Tampoco eso tiene demasiada importancia. Basta con que usted quiera creer. Porque de ese modo, una de tres: o usted acaba por creer, o por creer que cree, lo que viene a ser aproximadamente lo mismo, o, en último caso, trabaja usted en sus confituras como si creyera. Y siempre vendrá a resultar que usted mejora el género que vende, en beneficio de su clientela y en el suyo propio."

El confitero —contaba mi maestro— no fue del todo insensible a las razones del filósofo. "Vuelva usted por aquí —le dijo— dentro de unos días."

Cuando volvió el filósofo encontró cambiada la muestra del confitero, que rezaba así: "Confitería de Ángel Martínez, proveedor de su Divina Majestad".

—Está bien, pero conviene saber, amigo Mairena, si la calidad de los confites...

—La calidad de los confites, en efecto, no había mejorado. Pero lo que decía el confitero a su amigo filósofo: "Lo importante es que usted crea que ha mejorado, o quiera usted creerlo, o, en último caso, que usted se coma esos confites y me los pague como si lo creyera"».

EL GALLO PERPLEJO

José Ortega y Gasset suele ser considerado el filósofo español más importante del siglo XX. Creador del raciovitalismo, una teoría que intenta conciliar la razón y la vida, fue profesor de filosofía en la Universidad Complutense de Madrid entre 1910 y 1936, y se convirtió en una de las figuras más influyentes de la sociedad y la cultura españolas del momento.

Una de las anécdotas más famosas de la época gira en torno a su nombre: acababan de almorzar el torero Rafael Gómez «El Gallo» y José María de Cossío con Ortega y Gasset. Cuando Ortega se marchó, «El Gallo» le preguntó a Cossío:

—Y este señor que ha comido con nosotros, ¿quién era?

—Tú siempre tan despistado, Rafael. Este señor era don José Ortega y Gasset —le respondió Cossío.

—Eso ya lo sé, pero quiero decir que a qué se dedica.

—Pues es nada menos que el filósofo más importante que hay en España.

—Ya, ¿pero de qué vive?

—De pensar, Rafael, le pagan por pensar.

Y Rafael «El Gallo», sin poder ocultar su asombro, exclamó:

—¡Hay gente pa tó!

LA CABEZA DE ORTEGA

Cuando se instauró la Segunda República, Ortega se convirtió en el principal representante en las Cortes de 1931 de la «Agrupación al Servicio de la República» (una República, no obstante, de cuyo gobierno muy pronto empezaría a distanciarse), integrada sobre todo por intelectuales.

Eso, unido al toque culto y sesudo de sus discursos, hizo que, en cierta ocasión en que el filósofo se disponía a tomar la palabra, Indalecio Prieto exclamara:

—Atención, señores, va a hablar la Masa Encefálica.

José Ortega y Gasset (1883-1955)

Ortega publicó en 1925 un ensayo titulado *La deshumanización del arte* en el que trataba de tomarle el pulso al arte contemporáneo y abogaba por una superación definitiva de la estética humanista, romántica y popular que había prevalecido en la historia del arte durante mucho tiempo. Ortega expone aquí la misma idea elitista que expondría en otros libros: la sociedad y la cultura deben organizarse teniendo en cuenta la existencia de dos grandes rangos entre los hombres: el de los hombres egregios y el de los hombres vulgares. Y aunque, según Ortega, la actividad política de su tiempo vivía ajena a este criterio, entregada como estaba a la tiranía de las masas, el arte, desde principios del siglo XX, empezaba a dar señales de regeneración.

El arte que empieza a abrirse camino en aquella época y que tiene todas las simpatías de Ortega es un arte para la minoría selecta, un arte que no pretende despertar sentimientos ni avivar las pasiones. En este sentido hay que entender la etiqueta de arte deshumanizado.

Pero el título del libro se prestó a no pocos equívocos y a alguna que otra broma, como aquella de la que eran objeto los discípulos de Ortega cuando, con exagerada y burlona compasión, les decían:

—¡Pobrecitos! ¡Tan jóvenes y ya deshumanizados!

Los Don Juanes

Ortega dedicó varios textos a analizar el fenómeno amoroso. Estos textos quedarían agrupados en su libro *Estudios sobre el amor*. En uno de los textos que componen el libro calificó el estado de enamoramiento como «una especie de imbecilidad transitoria». Y, en otro de ellos, apuntó esta sarcástica clasificación de los hombres: «Con pocas ex-cepciones, los hombres pueden dividirse en tres clases: los que creen ser Don Juanes, los que creen haberlo sido y los que creen haberlo podido ser, pero no quisieron».

UNA HISTORIA DE LA FILOSOFÍA A LA MEDIDA DE ORTEGA

Uno de los discípulos más conspicuos de Ortega ha sido el filósofo Julián Marías, quien, siendo todavía bas-tante joven, escribió una *Historia de la filosofía* en la que estaba muy presente la huella del maestro. El ensayista Eu-genio D'Ors señaló burlonamente a propósito de esta obra: «Para Julián Marías toda la historia del pensamiento se reduce a Ortega y Gasset. Es como si le hubieran enco-mendado la *Historia del toreo* al mozo de estoque del Gallo».

LAS ARMAS Y LAS LETRAS

Eugenio D'Ors, defensor acérrimo del tradicionalismo, era el intelectual español más reputado en el bando nacio-nal durante la guerra civil española. En 1937 el gobierno franquista lo nombró Director de Bellas Artes. En calidad de tal, Eugenio D'Ors organizó en San Sebastián una Expo-sición de Arte Sacro, a cuya inauguración estaba previsto que asistiera Franco. Pero éste no asistió pretextando que la guerra lo tenía demasiado ocupado. D'Ors, que había anhe-lado un encuentro de altura entre los dos sumos líderes, el de las armas y el de las letras, se sintió molesto por ello, y en una reunión comentó:

—Esto me recuerda que Napoleón, en plena campaña, se desvió de su camino para visitar a Goethe en Weimar.

Claro que yo no estoy a la altura de Goethe, pero, coño, tampoco Franco es Napoleón.

UNA PENOSA DECISIÓN

Aunque Heidegger no se interesó especialmente por el estudio de la ética (o tal vez por eso mismo), en su obra *Ser y tiempo* parece defender una especie de decisionismo según el cual lo importante en el terreno moral es que las decisiones salgan siempre de uno mismo. Esta actitud podría resumirse así: haz lo que quieras, con tal de que seas tú mismo quien de verdad decide y quien asume la responsabilidad de tus actos. Con esto se renuncia al intento de justificar racionalmente nuestras decisiones y nuestros actos, una justificación que para Heidegger incurre de lleno en un ejercicio metafísico, lo cual para él parecía casi ser un pecado.

Por aquella época, finales de los años veinte, algunos estudiantes parodiaban esta teoría diciendo:

—Nosotros estamos decididos, lo que no sabemos es para qué.

OLVIDO, BÚSQUEDA Y CAPTURA DEL SER

Toda la filosofía de Heidegger gira en torno al problema del Ser y de cómo ha sido olvidado, casi desde el principio, por la metafísica tradicional, la cual, al entender el Ser siempre como presencia, habría reducido el Ser a los entes, olvidando toda diferencia entre uno y otros (que Heidegger llama diferencia ontológica). Ahora bien, Heidegger ha insistido en que no es posible definir el Ser, ni identificarlo, como ha hecho a menudo la metafísica, con la sustancia, Dios, el espíritu, la materia o la voluntad. Sin embargo, algunas de las alusiones de Heidegger al Ser recuerdan a aquellas que hacían a Dios los místicos y defensores de la teología negativa, en tanto en cuanto insistían en que no es posible decir cómo es, sino, en todo caso, cómo no es.

Según Heidegger, sólo algunos presocráticos, en el origen de la historia de la metafísica, y Nietzsche, en el final de la misma, habrían conseguido atisbar de verdad el Ser, aunque lo habrían apenas vislumbrado, al haberse dejado deslumbrar unos por el *logos* (los presocráticos) y el otro por su fe en los valores (Nietzsche).

Pues bien, de ese discurso sobre el Ser se burló Fernando Savater en su *Diccionario Filosófico* cuando escribió: «En Roma, hace varios meses, un grupo de profesores españoles de filosofía (quizá ellos hubiesen preferido que dijese "filósofos") pronunciaron sendas conferencias. Preguntado que fue un oyente por el tema de la que había desarrollado uno de nuestros más conspicuos heideggerianos, repuso: "Habló de Luis Roldán, el inasible prófugo". Asombro en el demandante y llegó la aclaración: "Bueno, él prefería llamarle Ser, pero supongo que se refería a Roldán, porque no hizo más que decir que se ocultaba, que desaparecía, que se le tenía culpablemente olvidado, etc."».

Estrenar filosofía cada año

Bertrand Russell fue uno de los filósofos más importantes del siglo XX (ya en 1901 formuló uno de sus descubrimientos más importantes: la famosa paradoja de los conjuntos). Pero Russell también es uno de los filósofos que más veces ha cambiado su orientación filosófica. Incluso se llegó a decir que «Russell nos tiene acostumbrados a proponer cada año un sistema filosófico distinto». Así, primero defendió una filosofía de tipo idealista, luego un realismo platónico, después un realismo del sentido común. Esta falta de fidelidad a un sistema determinado suele interpretarse como ausencia de seriedad o de rigor, cuando más bien parece que debería interpretarse como lo contrario: como puesta al día de los conocimientos y búsqueda incansable de la verdad. El propio Russell señala muy atinadamente al respecto: «No me avergüenzo lo más mínimo de haber variado mis opiniones. ¿Qué físico en activo desde 1900 se jactaría de no haber cambiado de opinión durante el último medio siglo? Los científicos cambian de opinión cuando disponen de nuevos conocimientos, pero muchas personas comparan la filosofía con la teología más que con la ciencia. El teólogo proclama verdades eternas, y los credos siguen inalterados desde el concilio de Nicea. Cuando nadie sabe nada no tiene ningún sentido cambiar de idea».

RUSSELL SE TRANSFORMA EN PAPA

En otro orden de cosas, y más en broma, Russell hizo gala de un transformismo mucho más radical en la siguiente anécdota que suele atribuírsele:

Discutía Russell un día con un filósofo sobre la implicación lógica. En lógica, se considera que una implicación sólo es falsa cuando el antecedente de la implicación es verdadero y el consecuente falso. Por tanto, si el antecedente es falso, la implicación resulta automáticamente verdadera. Pero aquel filósofo, que tomaba todo esto por absurdo, quiso mostrar con un ejemplo lo ridícula que podía resultar esa ley:

—Según eso —le dijo a Russell—, habría que admitir que es verdad que «si 2 + 2 = 5, entonces usted es el papa?».

Russell contestó afirmativamente, improvisando la siguiente demostración disparatada:

Bertrand Russell (1872-1970)

—Supongamos que 2 + 2 = 5; entonces, si restamos 3 de cada lado de la ecuación, nos da 1 = 2. Ahora bien, como el papa y yo somos dos personas, y 1 = 2, entonces el papa y yo somos uno. Luego, yo soy el papa.

Una mala excusa

Cuando le preguntaron a Bertrand Russell a qué se debía que, habiendo escrito él sobre tantos asuntos, no hubiera escrito una sola línea sobre estética, contestó:

—Porque no sé nada de estética..., aunque reconozco que ésta no es una excusa muy buena, pues mis amigos me dicen que mi ignorancia nunca me ha impedido escribir sobre otros temas.

La mentira de Moore

Mentir siempre debe de ser tan difícil como decir siempre la verdad. Bertrand Russell decía estar convencido de que su amigo, el filósofo Georges Edward Moore (un filósofo de probada honestidad intelectual que había influido notablemente en Russell por su práctica del análisis lingüístico), no había mentido ni una sola vez en su vida.

Un día se lo preguntó directamente:

—Moore, estoy seguro de que tú nunca has mentido. ¿Es cierto?

Moore respondió:

—No, no es cierto.

Después de aquello, Russell comentaría:

—Es la única vez que le he visto mentir.

Russell siempre se mostró escéptico sobre la posibilidad de que Dios existiera, pues estaba convencido de que no hay argumentos de ningún tipo que puedan avalar la tesis de su existencia. A propósito de esto, alguien le preguntó a Russell durante un coloquio qué diría si después de morir se encontrara cara a cara con Dios. Y Russell respondió:

—Simplemente le diría: «¡Señor! ¿Por qué has dado tan pocas señales de tu existencia?».

EL INFIERNO DE RUSSELL

Puesto que el infierno en la tradición cristiana es el peor sitio imaginable, donde uno recibe castigo eterno por sus malas acciones en esta vida, Russell, con su habitual sentido del humor, decía que debía de tratarse de «un lugar donde la policía es alemana; los conductores de automóviles, franceses; y los cocineros, ingleses».

EL PAVO INDUCTIVISTA

Los filósofos neopositivistas pensaban que el método característico de la ciencia era el método inductivo, según el cual la ciencia se basa en la observación empírica de los hechos y, a partir de ahí, formula leyes universales. Así, por ejemplo, empezamos observando que cada uno de los cuervos que encontramos es negro y acabamos concluyendo que todos los cuervos son negros.

El problema es que este tipo de razonamiento no es concluyente, pues por muchas veces que hayamos observado un fenómeno nunca podremos estar seguros de que en un futuro el fenómeno seguirá dándose de la misma manera. Así, podemos haber observado muchos cisnes y haber visto que todos ellos eran blancos, pero si de eso deducimos que todos los cisnes son blancos corremos el riesgo de equivocarnos (de hecho, hay cisnes negros). Es lo que se conoce como el problema de la inducción.

En su libro *Los problemas de la filosofía*, Bertrand Russell lo ilustró de esta forma: imaginemos un pavo al que un granjero da de comer todos los días. El pavo se acaba acostumbrando a esto y cada vez que ve aparecer al granjero espera recibir su ración diaria. Supongamos que el pavo es un buen inductivista y no quiere precipitarse en sus conclusiones. Se dedica por lo tanto a recoger pacientemente datos sobre el asunto que más le interesa: la hora de la comida. Finalmente, en vista de la regularidad con que se suceden los fenómenos, el pavo acaba deduciendo que siempre que aparece el granjero, él recibe su ración de pienso. Es el día de acción de gracias y el pavo se pavonea con su descubrimiento. No imagina que ese mismo día el granjero que lo ha estado alimentando, en vez de darle la comida, le retorcerá el pescuezo, lo meterá en el horno y se lo comerá.

PENSAMIENTOS GÉLIDOS

En 1948, el avión en el que Russell viajaba se estrelló en el Mar del Norte y murieron diecinueve personas. Russell, que ya contaba setenta y seis años de edad, estuvo nadando durante un buen tiempo hasta ponerse a salvo. Cuando los periodistas le preguntaron en qué había pensado su privilegiada mente durante aquel trayecto a nado, Russell respondió con su acostumbrada socarronería:

—Sólo pensaba en lo fría que estaba el agua.

EL HUMO SALVAVIDAS

A raíz de aquel accidente Russell no se cansaría de decir que el tabaco era beneficioso para la salud y que a él le había salvado la vida, pues todos los pasajeros que se habían salvado en aquel avión siniestrado se encontraban en la zona de fumadores del aparato.

¿TODOS SOLIPSISTAS?

El solipsismo es la teoría que afirma que sólo existe el yo particular y no hay nada fuera de él. Ahora bien, ¿es posible creer de verdad que sólo existo yo? ¿Tiene sentido el concepto de «yo» sin el de «otro»? ¿Cómo sería posible experimentar pudor ni vergüenza ante una situación comprometida si no creyéramos que existen los demás? Aun así, el solipsismo no es imposible, aunque sí resulta bastante inverosímil, pues parece que todos estamos convencidos de la existencia de otros yoes y, en buena medida, nuestra vida gira en torno a esa creencia. Así parece indicarlo una conocida anécdota que tuvo como protagonista al filósofo Bertrand Russell:

En cierta ocasión, una mujer le dijo:

—¿Por qué le sorprende tanto que sea solipsista? ¿Acaso no lo somos todos?

EL ANTISOLIPSISTA

Cuenta Raymond Smullyan que en un seminario que impartía Alan Ross Anderson estuvieron cerca de dos horas hablando sobre el solipsismo. «Al final de la sesión —dice Smullyan— me levanté y dije: "En este momento creo que me he vuelto antisolipsista; ¡creo que todos existen menos yo!"».

LA FILOSOFÍA Y LOS MALENTENDIDOS LINGÜÍSTICOS

En Occidente, la filosofía nació y se desarrolló como disciplina que estudia el ser y la esencia de las cosas. Sin embargo, Kostas Axelos (un filósofo al que ya citamos al principio del libro) inventó una escena en la que un sabio chino y su discípulo están paseando y, al atravesar un puente, el discípulo le pregunta al sabio:

—Maestro, ¿cuál es la esencia del puente?

El sabio se detiene, lo mira un momento y lo empuja al río.

Con lo cual, no puede afirmarse que le haya dicho nada, pero sí le ha mostrado la esencia del puente o tal vez lo absurdo que es preguntar por la esencia del puente.

A Wittgenstein seguramente le hubiera gustado esta historia. Según afirmó en sus *Investigaciones Filosóficas*, los problemas filosóficos nacen de una mala comprensión del lenguaje, de una confusión, de un malentendido lingüístico.

Los problemas filosóficos surgen cuando hacemos un uso indebido del lenguaje y lo obligamos a desenvolverse en un medio que no es el suyo, igual que si una mosca se hubiera colado en una botella y se aturdiera entre sus paredes sin saber cómo salir de ella. La función de la filosofía entonces consiste solamente en «mostrar a la mosca el orificio de salida de la botella». Se trataría por tanto de una función terapéutica: los problemas filosóficos se disuelven mostrándoles el agujero por el que se colaron, que no es otro que el de una confusión lingüística.

Bertrand Russell había sido profesor y amigo de Wittgenstein, además de uno de los iniciadores del análisis lingüístico en filosofía. Pero a Russell le parecía que en los últimos años Wittgenstein había llevado demasiado lejos las pretensiones de la filosofía analítica y desaprobaba la idea de que todos los problemas filosóficos fueran fruto de los enredos lingüísticos. Según Russell, el análisis de los conceptos podía aclararnos bastantes cosas, pero los problemas filosóficos no desaparecían con él. Russell no estaba de acuerdo con la idea de que los problemas filosóficos se esfuman cuando se entiende correctamente el funcionamiento de las oraciones, y contaba la siguiente anécdota para parodiar la teoría de Wittgenstein: un día, Russell, camino de Winchester, se paró ante una tienda y preguntó al dueño cuál era el camino más corto. Acto seguido, el tendero consultó con un hombre que estaba en la trastienda:

—El señor quiere saber cuál es el camino más corto para llegar a Winchester.

—¿Winchester dices? —preguntó una voz invisible.

—Sí.

—¿Y pregunta por el camino más corto?

—Sí.

—Pues no tengo ni idea.

El atizador de Wittgenstein

Por su parte, Karl Popper dejó escrito que Wittgenstein «no mostró a la mosca el camino de salida de la botella. Más bien, veo en la mosca incapaz de salir de la botella un llamativo autorretrato de Wittgenstein». Y llegó a comparar el análisis lingüístico de los asuntos filosóficos con el hecho de limpiar los cristales de nuestras gafas. Con ambas cosas se consigue ver el mundo más claro, pero sólo eso. Por cierto que Popper protagonizó una sonada discusión con Wittgenstein en 1946, cuando estaba invitado a dar una confe-

Ludwig Wittgenstein (1889-1951)

rencia en la Sociedad de Ciencia Moral de Cambridge, a la que asistieron Wittgenstein y Russell. Según la versión que ha dado Popper de lo allí ocurrido (pues existen varias versiones no coincidentes entre sí, todas ellas recogidas en el libro de David J. Edmonds y John A. Eidinow titulado: *El atizador de Wittgenstein*), en cierto momento Wittgenstein lo interrumpió irritado, pero Popper prosiguió su conferencia hasta que Wittgenstein cogió el atizador de la chimenea y, con cierto aire intimidatorio, retó a Popper:

—A ver, dígame ejemplos de auténticos problemas filosóficos.

Popper citó el problema de la inducción, el de la probabilidad, el del infinito, el de la ética...

Como Wittgenstein creía que la ética sólo podía ser mostrada, pero que resultaba imposible como discurso racional, urgió a Popper, con tono amenazador y blandiendo todavía el atizador en la mano, a responderle:

—¿La ética? Dígame usted un ejemplo de regla moral.

Popper sentenció entonces a su favor la disputa con un golpe de efecto:

—No amenazar al conferenciante con un atizador.

REZAR Y FUMAR

Sin duda alguna, el tema estrella de la filosofía en el siglo XX ha sido el lenguaje. Muchos filósofos han insistido hasta la saciedad en que los hablantes no somos los amos del lenguaje, sino que más bien estamos sujetos a él. Pero, aunque esto sea verdad, en el sentido de que sólo podemos decir aquello que el lenguaje nos deja decir, lo cierto es que también hay un uso persuasivo del lenguaje, de tal manera que es posible usar el lenguaje para influir en el prójimo y conseguir nuestros propósitos. Un ejemplo de ese uso persuasivo asoma en la siguiente historia que, con distintas variantes, aparece tanto en la tradición india como en la japonesa o en la europea. En la versión europea el protagonista es un jesuita, ya que los miembros de esta orden tenían fama de ser especialmente astutos y sibilinos, y dice así:

Dos sacerdotes de órdenes distintas, los dos fumadores empedernidos, fueron a hablar con el papa y le consultaron si les podía ser permitido fumar mientras oraban a Dios.

Pasó primero uno de ellos a hablar con el papa y le preguntó si podía fumar mientras rezaba, recibiendo de parte de su santidad una rotunda negativa, además de un severo reproche.

Llegó entonces el turno del segundo sacerdote, el jesuita, y le formuló la misma pregunta al papa, sólo que con un ligero cambio.

—¿También se ha enfadado contigo? —le preguntó el otro sacerdote cuando lo vio salir de la entrevista.

—Al contrario, se ha puesto muy contento.

—¿Pero tú le has preguntado que si podemos fumar mientras rezamos?

—Sí, sólo he tenido que cambiar un poco el orden de las palabras: le he preguntado que si podemos rezar mientras fumamos.

IRONÍA DE LA DOBLE AFIRMACIÓN

Durante los últimos tiempos, los lingüistas y los filósofos del lenguaje se han afanado en la búsqueda de universales lingüísticos, es decir, de las características comunes a todas las lenguas. Y, aunque se han descubierto una serie de rasgos que comparten todos los lenguajes verbales, éste ha resultado ser un campo de estudio especialmente resbaladizo, tan resbaladizo que más de un filósofo ha dado algún que otro patinazo por generalizar apresuradamente, como aquel simpático caso que contaba John Allen Paulos en su libro *Pienso, luego río,* sobre un filósofo que pronunciaba una conferencia a propósito del lenguaje, afirmando que, mientras que existen lenguas donde la doble negación tiene un sentido positivo y otras lenguas en las que tiene un sentido negativo, no hay, sin embargo, ninguna lengua en la que una doble afirmación tenga un sentido negativo. Tesis ésta que quedó desmentida al momento, cuando uno de los oyentes, repuso con ironía: «Sí, sí».

JERGA DE RUFIANES

Como ya señalamos en el capítulo anterior, los ejercicios de contorsionismo lingüístico abundaron en la época de Hegel. Pero tampoco el siglo XX se ha quedado atrás. Heidegger y toda la secuela de epígonos y comentaristas que ha dejado son buen ejemplo de ello. Hasta los filósofos franceses, que un día fueron un modelo de prosa clara, dan muestra, desde hace unas décadas, de este gusto por el estilo embrollado. Ya no basta con saber francés para entenderlos. Si usted quiere leer a Derrida, a Deleuze o a Lacan debe familiarizarse primero con un determinado modo de expresarse. De ahí que Javier Muguerza ironizara hace unos años a propósito de esto diciendo: «Je ne parle pas lacanois».

Jerga de rufianes llamó Walter Benjamin a la manera de explicarse que ha prevalecido entre los filósofos, y no le faltó razón.

Al fin y al cabo, cuanto más difícil de entender parezca el pensamiento propio, más profundo resulta a los ojos del vulgo y más autoridad confiere al pensador. Además, ¿qué iba a ser de esa cohorte de aduladores que viven de la doctrina del maestro si no pudieran especializarse en la disciplina de descifrar sus palabras?

A más de uno le han atribuido una anécdota seguramente inventada, pero que encaja bien con el estilo de muchos filósofos: un filósofo dicta un texto a su secretaria y, cuando termina, le consulta:

—¿Le parece a usted que queda bastante claro?

Ante la respuesta afirmativa de la secretaria, el profesor repone:

—Entonces oscurezcámoslo más.

LA RUINA DE UN MATRIMONIO

Los positivistas lógicos pensaban que la filosofía tradicional estaba cargada de enunciados carentes de sentido, pues no hay manera de contrastarlos con la realidad y averiguar así si son verdaderos o falsos.

Rudolf Carnap, uno de los máximos exponentes de esta corriente filosófica, puso en cierta ocasión, como ejemplo de enunciado metafísico sin sentido, una frase de Martin Heidegger que decía: «La nada misma anonada». Carnap sentenció:

—Es tan absurdo como decir que la lluvia llueve.

En su libro *5.000 años a. de C. y otras fantasías filosóficas*, Raimond Smullyan cuenta la siguiente anécdota sobre el matrimonio de un positivista lógico:

«Una vez fui a cenar a una taberna de pueblo. Sorprendido, observé que las paredes del comedor estaban llenas de estanterías en las que se encontraba una magnífica biblioteca filosófica.

—¡Ah, sí! —explicó más tarde la dueña del local—, mi marido es filósofo y me dejó su biblioteca. Es un positivista lógico, y fue su positivismo lógico lo que rompió nuestro matrimonio.

—¿Cómo es posible? —pregunté.

—Porque todo lo que yo dijera, cualquier cosa, le parecía que no tenía sentido».

DIOS SALE DE LA CHISTERA

En el mismo libro cuenta Raymond Smullyan que una vez utilizó la alianza entre un truco de magia y una ley lógica para demostrar la existencia de Dios ante Carnap, quien descreía de toda prueba racional para demostrar la existencia de Dios. Cuando el mago acabó su supuesta demostración y quedó patente que descansaba sobre un truco de magia, Carnap exclamó: «¡Ah, claro, prueba por prestidigitación! ¡La misma que utilizan todos los teólogos!».

En efecto, mediante ejercicios de prestidigitación con el lenguaje se ha querido demostrar muchas veces la existencia de Dios. Así, los Padres de la Iglesia defendieron durante mucho tiempo la idea de que Dios tenía que existir porque así lo dicen las Sagradas Escrituras. ¿Pero cómo sabemos que las Sagradas Escrituras dicen la verdad? Porque las Sagradas Escrituras son la palabra de Dios, contestaban los padres de la Iglesia.

Como se ve, el argumento incurre en la falacia llamada «petición de principio» (o también «círculo vicioso») y recuerda a un chiste judío que cuenta José Antonio Marina en su libro *Dictamen sobre Dios*:

«Dos piadosos judíos discuten sobre las excelencias de sus respectivos rabinos. Uno dice:

—Dios conversa con nuestro rabino todos los viernes.

—¿Cómo lo sabes? —pregunta el otro.

—El propio rabino nos lo ha dicho.

—¿Y cómo sabes que no miente?

—¿Cómo iba a mentir un hombre con el que Dios habla todos los viernes?».

EL ROBO DE IDEAS

Cuando Carnap publicó *La construcción lógica del mundo*, un libro del que su autor reconocía su deuda intelectual con Wittgenstein, éste le acusó de haberle plagiado sus ideas y comentó sardónicamente:

—No me importa que un chavalillo me robe las manzanas, pero me molesta que diga que yo se las he dado.

LA SOSERÍA DE LOS FILÓSOFOS DE CAMBRIDGE

Hay un chiste muy del gusto de los estudiantes en el que un profesor le dice a uno de sus alumnos:

—Haga el favor de despertar a su compañero.

Y el alumno replica:

—Despiértelo usted, que es el que lo ha dormido.

Este chiste parece especialmente apropiado para ciertos filósofos ingleses, y recuerda a una anécdota de C. D. Broad, profesor de filosofía de la Universidad de Cambridge, que no desentonaba mucho en cuanto a aridez y aburrimiento con otros profesores de filosofía de la misma universidad. Al parecer, Broad preparaba sus clases por escrito y luego las leía en voz alta ante sus alumnos. Tenía la costumbre de leer cada frase dos veces. Para no hacer las clases tan aburridas intercalaba algún que otro chiste, también previamente escrito, sólo que, en vez de leerlo dos veces, lo leía tres. Pues bien, según cuenta uno de sus alumnos, Maurice Wiler, ésta era la única manera de distinguir las frases chistosas de las que no lo eran.

Karl Popper escribió un famoso libro titulado *La sociedad abierta y sus enemigos*, en el que ensalzaba la política liberal y democrática, y arremetía contra los regímenes totalitarios (enemigos de las sociedades abiertas). También denostaba a ciertos filósofos como Platón, Hegel y los epígonos de Marx, que, según él, habían sido los instigadores intelectuales del totalitarismo.

Pero el propio Popper tenía fama de intransigente y de ser poco dado a escuchar las críticas de quienes le atacaban intelectualmente. De ahí que se dijera que el libro de Popper debería haberse titulado mejor: *La sociedad abierta, por uno de sus enemigos*.

EL TRILEMA DE MÜNCHHAUSEN

El barón de Münchhausen es el personaje de una novela satírica (basada en las peripecias de un militar alemán del siglo XVIII que disfrutaba entreteniendo a sus huéspedes con historias exageradas sobre sus hazañas en el ejército ruso), que consigue salir de un pantano tirando de sus propias trenzas. Basándose en este personaje, algunos filósofos se refieren al trilema de Münchhausen para aludir a esa acrobacia imposible que ejecutaría la razón si pretendiera fundamentarse a sí misma: las razones se justifican apelando a otras razones, y éstas, a su vez, se justifican apelando a otras, pero ¿cuál es el fundamento último de la razón? Según algunos filósofos, como Karl Popper y su discípulo Hans Albert, no hay razones para confiar en la razón. Si confiamos en ella es sólo por un acto de fe, por una decisión irracional a favor de la razón, pues si la razón se fundamentara a sí misma estaría realizando la misma pirueta imposible que el barón de Münchhausen cuando salía del pantano tirando de sus propias trenzas. Según ellos, cualquier intento de fundamentación última de la razón caería en una regresión infinita o en un círculo vicioso o en la ruptura arbitraria del proceso (postulando la existencia de algún principio no demostrable).

A este respecto, cuenta Javier Muguerza, en su libro *Desde la perplejidad,* lo que ocurrió en una conferencia a cargo de un discípulo de Hans Albert: «El conferenciante iba aludiendo a cada una de las alternativas con sus clásicas denominaciones latinas —*regressus infinitus, circulus vitiosus*—, pero, como titubeara al no encontrar una adecuada denominación en latín para la tercera de ellas, brindó una oportunidad de oro al gracioso de turno para que, entre el regocijo general, sugiriese macarrónicamente, la de *cogitus interruptus*».

FECUNDA PERPLEJIDAD

En la presentación del libro antes mencionado: *Desde la perplejidad,* contó Javier Muguerza que, al enseñárselo a un amigo, éste se quedó contemplando a la vez el título y el tamaño del libro (un tocho de casi 700 páginas) y le dijo al autor:

—¿Y todo esto lo has escrito desde la perplejidad? La verdad, a mí me pasa al revés: cuando me quedo perplejo no sé qué decir.

LA MORAL DE LOS PURITANOS

La moral puritana se caracteriza por la reprobación de ciertas conductas supuestamente impúdicas que, sin embargo, no entrañan perjuicio para nadie. Los puritanos se reclaman garantes de las buenas costumbres y pregonan un severo código moral que, en el fondo, encubre una serie de prejuicios socialmente arraigados, un perverso repudio a los placeres del cuerpo y un afán por guardar ante todo las apariencias. Fernando Savater, en su *Ética para Amador*, acierta a ilustrar esa falsa moral de esta manera:

«Los puritanos se consideran la gente más "moral" del mundo y además guardianes de la moralidad de sus vecinos […]. Su modelo suele ser la señora de aquel cuento... ¿te acuerdas? Llamó a la policía para protestar de que había unos chicos desnudos bañándose delante de su casa. La policía alejó a los chicos, pero la señora volvió a llamar diciendo que se estaban bañando (desnudos, siempre desnudos) un poco más arriba y que seguía el escándalo. Vuelta a alejarlos la policía y vuelta a protestar la señora. "Pero señora —dijo el inspector—, si los hemos mandado a más de un kilómetro y medio de distancia..." Y la puritana contestó, «virtuosamente» indignada: "¡Sí, pero con los gemelos todavía sigo viéndoles!"».

CIORAN NO EXISTE

Cuenta Savater en su *Ensayo sobre Cioran* que durante algún tiempo consideró la posibilidad de escribir su tesis doctoral sobre un filósofo inexistente, al que imaginaba discípulo de Heráclito y viviendo en la Atenas del período helenístico. Finalmente, abandonó la idea y acabó escribiendo su tesis sobre Cioran. Pero, puesto que el filósofo rumano apenas era conocido en España por aquel entonces, empezó a extenderse en los círculos universitarios el rumor de que este filósofo no existía en realidad, sino que era una invención de Savater.

Savater entonces le escribió una carta a Cioran dándole noticias de ello: «Por aquí dicen que usted no existe». Cioran, que siempre proclamó la inanidad de la existencia y la idea de que lo mejor de todo sería no haber nacido, le respondió con una nota de lacónico humor: «¡Por favor, no les desmienta!».

BIBLIOGRAFÍA

Agustín, San, *Confesiones* (traducción de Pedro Rodríguez de Santidrián), Alianza Editorial, Madrid, 1999.

Axelos, Kostas, *Argumentos para una investigación* (traducción de Carlos Manzano), Fundamentos, Madrid, 1973.

Bierce, Ambrose, *Diccionario del diablo* (traducción de Eduardo Stilman), Valdemar, Madrid, 1996.

Boswell, James, *Encuentro con Rousseau y Voltaire* (edición y traducción de José Manuel de Prada), Mondadori, Barcelona, 1997.

Breton, André, *Antología del humor negro* (traducción de Joaquín Jordá), Anagrama, Barcelona, 1991.

Calle, Ramiro, *101 cuentos clásicos de la India* (recopilación y traducción de Ramiro Calle), Edaf, Madrid, 2001.

—*Los mejores cuentos espirituales de Oriente.* RBA Libros. Barcelona, 2003.

Carandell, Luis, *Se abre la sesión (las anécdotas del Parlamento)*, Planeta, Barcelona, 1998.

—*Las anécdotas de la política: de Keops a Clinton.* Planeta, Barcelona, 1999.

Carrière, Jean-Claude, *El círculo de los mentirosos* (traducción de Néstor Tusquets), Lumen, Barcelona, 2000.

Chamfort, Nicholas de, *Máximas, pensamientos, caracteres y anécdotas* (traducción de Antonio Martínez Carrión), Aguilar, Madrid, 1989.

Cheng, Anne, *Historia del pensamiento chino* (traducción de Anne-Hélène Suárez Girard), Bellaterra. Barcelona, 2002.

Chuang Tse, *El libro de Chuang Tse* (versión de Martin Palmer y Elizabet Brenilly. Traducción de Mario Lamberte), Edaf, Madrid, 2001.

Comte-Sponville, André, *Diccionario filosófico* (traducción de Jordi Terré), Paidós, Barcelona, 2003.

—*Pequeño tratado de las grandes virtudes* (traducción de Berta Corral y Mercedes Corral), Espasa Calpe, Madrid, 1998.

Crescenzo, Luciano de, *Historia de la filosofía griega* (vol. I y II) (traducción de Beatriz Alonso Aranzábal), Seix Barral, Barcelona, 1987.

Droit, Roger-Pol y Tonnac, Jean-Philippe de, *Aquellos sabios locos* (traducción de Zoraida de Torres Burgos), Grup Editorial 62 S.L.V. El Aleph Editores, Barcelona, 2004.

Edmonds, David. J. y Eidinow, John. A., *El atizador de Wittgenstein: una jugada incompleta* (traducción de María Morrás), Península, Barcelona, 2001.

Erasmo de Rotterdam, Desiderio, *Apotegmas de sabiduría antigua* (edición de Miguel Morey), Edhasa, Barcelona, 1998.

Fernández Buey, Francisco, *Poliética,* Losada, Barcelona, 2003.

Fernández-Rañada, Antonio, *Los científicos y Dios,* Nobel, S.A., Oviedo, 2002.

Fisas, Carlos, *Curiosidades y anécdotas de la Historia Universal,* Editorial Planeta, Barcelona, 1993.

García Calvo, Agustín, *Lecturas presocráticas,* Editorial Lucina, Madrid, 1981.

García Gual, Carlos y Laercio, Diógenes, *La secta del perro. Vidas de los filósofos cínicos,* Alianza Editorial, Madrid, 1990.

—*Epicuro,* Alianza Editorial, Madrid, 1996.

González, Ángel, *Palabra sobre palabra,* Seix Barral, Barcelona, 2004.

Güell Barceló, M. y Muñoz Redón, J., *Sólo sé que no sé nada,* Ariel, Barcelona, 2006.

Hadot, Pierre, *¿Qué es la filosofía antigua?* (traducción de Eliane Cazenave Tapie Isoard), Fondo de Cultura Económica, Madrid, 1998.

Hazard, Paul, *El pensamiento europeo en el siglo XVIII* (traducción de Julián Marías), Alianza Editorial, Madrid, 1985.

Hegel, G. W. F., *Fenomenología del espíritu* (traducción de Wenceslao Roces), Fondo de Cultura Económica, Madrid, 1981.

Hondt, Jacques d'*Hegel* (traducción de Carlos Pujol), Tusquets, Barcelona, 2002.

Irigoyen, Ramón, *Las anécdotas de Grecia: macedonia de humor*, Planeta, Barcelona, 2001.

Jaspers, Karl, *Los grandes filósofos. Los hombres decisivos: Sócrates, Buda, Confucio, Jesús* (traducción de Pablo Simón), Tecnos, Madrid, 1996.

Klossowski, Pierre, *Nietzsche y el círculo vicioso* (traducción de Isidro Herrera), Arena Libros, Madrid, 2004.

Laercio, Diógenes, *Vidas de los más ilustres filósofos griegos* (traducción de José Ortiz y Sainz), Folio, Barcelona, 2002.

Leonardo Da Vinci, *Cuadernos de notas* (traducción de José Luis Velaz), Edimat Libros, Madrid, 1999.

Luri Medrano, Gregorio, *Guía para no entender a Sócrates (Reconstrucción de La utopía socrática)*, Trotta, Madrid, 2004.

Machado, Antonio, *Juan de Mairena: sentencias, donaires, apuntes y recuerdos de un profesor apócrifo* (edición de José María Valverde), Castalia, Madrid, 1991.

MacIntyre, Alasdair, *Historia de la ética* (traducción de Roberto Juan Walton), Paidós, Barcelona, 1991.

Marina, José Antonio, *Dictamen sobre Dios*, Anagrama, Barcelona, 2001.

Melgar, Luis T., *Antología del ingenio*, Libsa, Madrid, 2002.

Menand, Louis, *El club de los metafísicos. Historia de las ideas en América* (traducción de Antonio Bonnano), Destino, Barcelona, 2002.

Montaigne, Michel Eyquem de, *Ensayos* (traducción de Juan G. de Luaces), Orbis, Barcelona, 1984.

Mosterín, Jesús, *Historia de la filosofía. La filosofía oriental antigua*, Alianza Editorial, Madrid, 1997.

—*Historia de la filosofía, La filosofía griega prearistotélica*, Alianza Editorial, Madrid, 1990.

Muguerza, Javier, *Desde la perplejidad*, Fondo de Cultura Económica, México, 1995.

Nadler, Steven, *Spinoza* (traducción de Carmen García Trevijano), Acento, Madrid, 2004.

Nietzsche, Friedrich, *El ocaso de los ídolos* (traducción de Andrés Sánchez Pascual), Alianza Editorial, Madrid, 1984.

—*Más allá del bien y del mal* (traducción de Andrés Sánchez Pascual), Alianza Editorial, Madrid, 1997.

Odifreddi, Piergiorgio, *Las mentiras de Ulises. La lógica y las trampas del pensamiento* (traducción de Juan Carlos Gentile Vitale), Salamandra, Barcelona, 2006.

Ortega y Gasset, *Estudios sobre el amor*, Salvat, Navarra, 1985.

Pascal, Blaise, *Pensamientos* (traducción de Eugenio D'Ors), Orbis, Barcelona, 1982.

Paulos, John Allen, *Pienso, luego río* (traducción de Marta Sensigre), Cátedra, Madrid, 1987.

Plutarco, *Vidas paralelas (Demóstenes-Cicerón, Demetrio-Antonio)*, Espasa Calpe, Madrid, 1957.

Quincey, Thomas de, *Los últimos días de Emmanuel Kant* (traducción de Rafael Hernández Arias), Valdemar, Madrid, 2000.

Russell, Bertrand, *Los problemas de la filosofía* (traducción de Joaquín Xirau), Labor, Barcelona, 1980.

—*Respuestas a preguntas fundamentales sobre política, sociedad, cultura y ética* (traducción de Jordi Fibla), Península, Barcelona, 1997.

Safranski, Rüdiger, *Schiller o la invención del idealismo alemán* (traducción de Raúl Gabás), Tusquets, Barcelona, 2006.

—*Heidegger. Un maestro de Alemania. Martin Heidegger y su tiempo* (traducción de Raúl Gabás), Tusquets, Barcelona, 2003.

—*Nietzsche. Biografía de su pensamiento* (traducción de Raúl Gabás), Tusquets, Barcelona, 2001.

—*Schopenhauer y los años salvajes de la filosofía* (traducción de José Planells Puchades), Alianza Editorial, Madrid, 1998.

Sánchez Ferlosio, Rafael, *Vendrán más años malos y nos harán más ciegos,* Destino, Barcelona, 1993.

Savater, Fernando, *Ética para Amador*, Ariel, Barcelona, 1993.

—*Diccionario Filosófico*, Editorial Planeta, Barcelona, 1995.

—*Nietzsche*, Barcanova, Barcelona, 1982.

Savinio, Alberto, *Nueva enciclopedia* (traducción de Jesús Pardo), Seix Barral, Barcelona, 1983.

Schopenhauer, Arthur: *Parerga y Paralipomena* (Parte I, vol. 1), (edición de Manuel Crespillo y Marco Parmeggiani sobre la versión de Edmundo González Blanco), Ágora, Málaga, 1997.

—*Parábolas, aforismos y comparaciones* (selección de textos, traducción y edición de Andrés Sánchez Pascual), Edhasa, Barcelona, 2002.

Schultz, Uwe, *Kant*, Labor, Valencia, 1971.

Serra, Cristóbal, *Efigies*, Tusquets, Barcelona, 2002.

Smullyan, Raymond, *¿Cómo se llama este libro?* (traducción de Carmen García Trevijano, Luis M. Valdés y Consuelo Vázquez de Parga), Cátedra, Madrid, 1991.

—*5.000 años a. de C. y otras fantasías filosóficas* (traducción de Amaia Bárcena del Riego), Cátedra, Madrid, 1989.

Spinoza, Baruch de, *Correspondencia* (traducción de Atilano Domínguez), Alianza Editorial, Madrid, 1988.

Stewart, Matthew, *La verdad sobre todo. Una historia irreverente de la filosofía con ilustraciones* (traducción de Pablo Hermida Lazcano y Pablo de Lora Deltoro), Taurus, Madrid, 1998.

Störig, Hans Joachim, *Historia universal de la filosofía* (traducción de Antonio Gómez Ramos), Tecnos, Madrid, 1995.

Trapiello, Andrés, *Las armas y las letras: Literatura y guerra civil (1936-1939)*, Península, Barcelona, 2002.

Voltaire, *Sarcasmos y agudezas* (selección de textos, traducción y edición de Fernando Savater) Edhasa, Barcelona, 1999.

—*Diccionario filosófico* (edición de Luis Martínez Drake. Traducción de José Arean Fernández y Luis Martínez Drake), Akal, Madrid, 1985.

VV.AA., *Los cínicos: el movimiento cínico en la Antigüedad y su legado* (edición de R. Bracht Branham y Marie-Odile Goulet-Cazé. Traducción de Vicente Villacampa), Seix Barral, Barcelona, 2000.

Weischedel, W., *Los filósofos entre bambalinas* (traducción de Agustín Contín), Fondo de Cultura Económica, México D.F., 1985.

Zweig, Stefan, *Erasmo de Rotterdam* (traducción de Ramón María Tenrreiro), Juventud, Barcelona, 1986.

AGRADECIMIENTOS

Si escribir un libro no siempre es tarea grata para el autor, menos aún suele serlo para la gente que lo rodea. Por ello, debo agradecer en primer lugar a mi madre y mis hermanas Mila y Ele que soportaran pacientemente la matraca que haya podido darles durante algunos de los días en que yo andaba enzarzado en la elaboración de esta obra. Quiero agradecerles también que leyeran el manuscrito con agrado y me animaran a intentar publicarlo. Con César y Mar estoy en deuda por haberme dejado la casa donde pude leer y escribir en paz. Además, a César le debo el haber recibido de su parte valiosas sugerencias para mejorar el libro.

El manuscrito fue bien acogido en la editorial Ariel por Mauricio Bach, quien me brindó toda su ayuda para rematar el libro, aportándome algunos textos oportunos para completarlo.

A Julián y Roberto les tengo que agradecer más cosas de las que ellos imaginan. Como también a Rakel, quien con sus bromas infantiles sirvió de inspiración al libro.

ÍNDICE

Este libro se compuso en tipos de la familia Sabon, creada por
Jan Tschichold y fundida por primera vez por Stempel
en 1964. La Sabon se inspira en los tipos del
Renacimiento francés de Claude Garamond
y su discípulo Jacques Sabon, que tras el
fallecimiento del maestro reparó y
completó un juego de punzones
de su mentor.

Se terminó de imprimir en los talleres de Litografía Rosés
de Barcelona el 25 de mayo de 2007, aniversario del
día de 1803 en que nació en Boston el filósofo
norteamericano Ralph Waldo Emerson,
que escribió «¿Cuál es la tarea más
difícil en este mundo?
Pensar».